# Les Colombes du Roi-Soleil

87, quai Panhard-et-Levassor – 75647 Paris Cedex 13
ISBN : 978-2-0812-6498-4

ANNE-MARIE DESPLAT-DUC

# Les Colombes du Roi-Soleil

## Un corsaire nommé Henriette

Flammarion

# CHAPITRE
# 1

Je m'appelle Henriette de Pusay.

Je ne sais trop comment débuter mon histoire, parce qu'il me semble que depuis ma naissance je n'ai jamais été au bon endroit au bon moment et que je suis indésirable partout où je me trouve.

Mon père, Jean-Henri de Pusay, est un armateur, amoureux de la mer. Il a utilisé la fortune de ma mère et celle de sa famille à armer des vaisseaux en course pour servir notre roi. Ma mère n'a jamais partagé cette passion. Elle aurait préféré qu'avec son importante dot mon père achète une charge qui lui aurait permis de vivre à la cour. Au lieu de cela, nous habitons une demeure dans la bonne ville de Saint-Malo, où elle s'ennuie beaucoup.

Ma naissance causa du chagrin à mon père et un espoir vite déçu à ma mère.

Mon père souhaitait un fils afin qu'il prenne la succession. Ma mère, elle, fut plutôt heureuse de ma venue ; elle espérait une fille qui lui ressemble, c'est-à-dire belle, blonde, le teint clair, et avec qui, l'âge venant, elle parlerait tissu, fanfreluches, bijoux. Las, elle déchanta dès que je sus marcher ou plutôt courir.

Je n'aimais rien tant que parcourir la grève dans les embruns. Me montrer crottée et échevelée dans le salon où elle brodait ne me gênait point. Et porter une tenue défraîchie et des bas reprisés ne m'indisposait pas.

— Qu'ai-je fait à Dieu pour avoir une fille telle que vous ! se plaignait-elle.

N'ayant point de réponse à cette question, je baissais la tête.

— Vous n'avez rien de moi, aucune beauté, aucune grâce, et si votre père continue de se ruiner sur la mer, vous n'aurez même pas de dot. Que fera-t-on de vous, alors ?

Chaque fois ses remarques me blessaient. Afin qu'elle m'aimât, j'acceptais sans rechigner que Mariette, ma nourrice, me coiffe, m'habille, me poudre, me parfume, puis je restais de longues heures assise sur un ployant tandis qu'elle devisait avec des dames venues lui faire visite. C'était pour moi un véritable exploit de ne point bouger alors que j'apercevais la lande par la fenêtre.

Mon père était mon allié.

Il s'était bien rendu compte que je n'avais rien de commun avec ma mère, mais que je goûtais [1], comme lui, la mer et le vent. Aussi, les après-dîners, il me faisait monter en croupe et nous galopions sur la grève ou nous allions sur le port admirer ses vaisseaux.

— Quel dommage, me disait-il, que vous ne soyez point un garçon. J'aurais eu beaucoup de plaisir à vous apprendre tout ce qui fait un homme d'honneur.

Il y avait tant de regret dans sa voix qu'un jour, je devais avoir cinq ou six ans, je lui affirmai :

— Père, je serai ce que vous décidez, et si vous voulez que je sois un garçon, je le serai.

Il éclata de rire, m'ébouriffa les cheveux et me dit :

— Ah, mon enfant, Dieu vous a fait naître fille et vous n'y pouvez rien !

J'étais encore jeune et naïve ; la création divine m'était inconnue alors que j'éprouvais un amour et une admiration immenses pour ce père qui s'occupait de moi. Aussi, je m'exclamai :

1. Apprécier.

— Alors Dieu s'est trompé et, pour vous plaire, je serai un garçon !

Ma mère, qui voyait d'un mauvais œil ma complicité avec mon père, me grondait :

— Henriette, vous feriez mieux d'apprendre vos prières !

Et elle reprochait à son mari :

— N'encouragez pas Henriette dans son vice.

— Voyons, ma chère, vous exagérez. Henriette aime ce que j'aime, et ce n'est point un crime.

— Si. Vous savez bien qu'Henriette, sans dot et avec le physique que dame nature lui a donné, ne pourra pas se marier. Elle est donc destinée à entrer dans un couvent, et s'il arrive aux oreilles des religieuses que notre fille se conduit comme... comme un garçon, aucune congrégation ne l'acceptera.

— Henriette n'est point aussi jolie que vous, ma mie, je vous l'accorde, mais elle ferait le bonheur d'un homme, j'en suis certain.

— D'un rustre, n'en doutez pas ! Je préfère donc qu'elle soit religieuse. Je vous répète qu'une demoiselle doit recevoir une éducation de demoiselle. Vous aurez bientôt un fils et vous l'éduquerez comme vous le souhaitez. Pour l'heure laissez Henriette aux mains des femmes.

J'avais écouté cette conversation sans broncher comme si je ne l'avais pas comprise. Mais chaque mot m'avait déchiré le cœur.

Heureusement, mon père ignora les jérémiades de ma mère et je continuai à passer beaucoup de temps en sa compagnie. Ma mère prit donc le parti de m'ignorer.

Elle mit au monde deux autres enfants dont on ne me parla même pas, car ils moururent quelques jours après leur naissance.

L'année de mes sept ans, Bertille vint au monde.

Nouvelle déception pour mes parents.

Moi, j'étais ravie. J'avais hâte qu'elle sût marcher pour partager mes jeux.

Elle ne les partagea jamais.

Ma mère décréta que je ne devais point approcher Bertille, sur laquelle je risquais d'avoir une mauvaise influence. C'était ridicule. Elle n'était qu'un poupon qui dormait et tétait sa nourrice. Son ordre fut cependant respecté, car tout le personnel craignait ses colères. On me logea dans une pièce éloignée de sa chambre.

Je compris alors que, quoi que je fisse, ma mère ne m'aimerait point. Elle reportait sur Bertille tous les rêves qu'elle avait faits pour moi.

J'en perdis l'envie de vivre pendant plus d'un an. Je n'avais plus d'appétit et je passais mes journées à dormir. Seules les sorties avec mon père me tiraient de ma torpeur. Mais ses affaires l'occupaient trop à mon goût et il me semblait qu'il me proposait moins souvent de l'accompagner.

Est-ce que lui aussi se désintéressait de moi ? N'étais-je pas assez garçon ?

C'est Luc-Henri, mon cousin, qui me sauva. Pourtant, je dois avouer que notre première rencontre avait tout de celle du chien qui croise un chat de gouttière.

Il avait deux ans de plus que moi et venait de perdre sa mère d'une fièvre tierce [1]. Son père, qui peinait à se remettre de la mort d'une femme tendrement chérie et qui, en plus, était couvert de dettes, se réfugia chez nous autant pour échapper à ses créanciers que pour ne pas se retrouver seul dans une grande bâtisse au cœur de la campagne malouine [2].

Lorsque mon père m'annonça son arrivée, je m'étonnai que nous ayons presque le même prénom.

— C'est en hommage à votre grand-père, Henri de Pusay, qui s'est illustré à la guerre auprès d'Henri IV, m'expliqua mon père. Le premier enfant de chaque couple de la famille porte le prénom Henri. En principe, c'est toujours un garçon. Vous avez fait, ma fille, mentir les prédic-

1. Fièvre qui se manifeste tous les trois jours.
2. De Saint-Malo.

tions. Et je serai le seul de la lignée à ne point avoir de descendant mâle.

Encore une fois, je sentis poindre comme un reproche dans la voix de mon père, qui ajouta comme pour décupler ma culpabilité :

— Mon frère a eu plus de chance que moi.

Aussitôt, je détestai ce Luc-Henri qui, parce qu'il était né garçon, faisait le bonheur et la fierté de ses parents quand je n'en faisais que le malheur.

Quand il arriva, il me coula un regard narquois qui semblait dire : « Pouah ! une fille ! »

Je plantai mes yeux noisette dans les siens sans rougir. Je crois me souvenir que c'est lui qui baissa la tête.

Au début, il m'ignora et je fis de même.

Notre amitié naquit un jour froidureux de novembre alors que, emmitouflée dans une cape, je revenais avec mon père de Saint-Malo où j'avais assisté malgré la pluie et le vent au carénage d'une frégate. Monté sur son cheval, il entra en trombe dans la cour. Mon père me déposa devant lui avant de conduire sa monture à l'écurie. Luc-Henri fit cabrer son cheval pour m'impressionner. Je n'avais pas peur des chevaux et, bien décidée à lui montrer que je n'étais pas une poule mouillée, je lui saisis le pied, l'arrachai de l'étrier et le tordis. Il poussa un cri et tomba dans la boue. Il se releva aussitôt et bondit sur moi. Je l'esquivai. Mais sa deuxième attaque me fut fatale et il me renversa sur le sol. Je lui donnai force coups de pied et de poing pour me libérer, il m'en rendit autant. C'est mon père qui nous sépara.

— Luc-Henri, ce ne sont pas des façons de se conduire avec les demoiselles, gronda-t-il.

— Celle-là n'est pas une demoiselle ordinaire, se défendit-il en reniflant le sang qui perlait à son nez.

Mon père rit et ajouta :

— J'en conviens.

Puis me secouant par le bras, il me tança [1] :

— Henriette, il serait temps de vous assagir.

— Être sage m'ennuie. Et puis Luc-Henri m'a défiée. Auriez-vous préféré que je m'enfuie en pleurant ?

Pour toute réponse, il me tapa sur l'épaule comme il l'aurait fait si j'avais été un garçon et soupira :

— Vraiment quel dommage... Vous avez de la trempe et de la repartie !

Se tournant vers Luc-Henri, il poursuivit :

— Eh bien, maintenant que vous savez qu'Henriette n'est pas une sucrée [2] qui se pâme devant un

1. Gronda.
2. Mijaurée.

cheval, vous pouvez faire la paix et lui présenter vos excuses.

Mon cousin hésita, furieux sans doute de ne pouvoir s'imposer devant une fille. Il s'exécuta de mauvaise grâce.

— À vous, Henriette, m'ordonna mon père.

Je bredouillai un vague « je regrette » et je tournai prestement les talons.

Je me promis de tout faire pour éviter de croiser ce garçon.

Cela me fut impossible, car mon père décida d'instruire Luc-Henri sur les choses de la mer. Il était présent à chacune de nos sorties et j'en mourais de jalousie. Lorsqu'il n'était pas avec mon père, il apprenait à manier l'épée et le sabre avec un maître d'armes. J'assistais en cachette à toutes ses leçons. J'aurais bien voulu, moi aussi, savoir manier les armes ne serait-ce que pour être son égale.

Un jour, après le départ de son professeur, Luc-Henri me découvrit blottie derrière un paravent. Je crus qu'il allait ricaner et me chasser, mais il me dit :

— Veux-tu que je t'apprenne ?

J'étais si interloquée par sa question que je bafouillai :

— Je... heu... ne sais pas si...

— Ah, il est vrai que tu es une fille, je l'avais oublié.

Sa réplique me piqua et je protestai :

— Non. Je suis une fausse fille et je veux apprendre à me battre à l'épée comme toi.

— Alors, allons-y, s'exclama-t-il en me lançant l'épée qu'il avait encore à la main.

Par un réflexe que je ne m'explique pas, j'en saisis le pommeau au vol sans me blesser. Il siffla d'admiration :

— Diantre, tu t'y prends bien !

Il alla quérir une autre épée et me donna ma première leçon.

D'autres suivirent. Chaque fois que le maître d'armes quittait la salle, j'y entrais et Luc-Henri m'enseignait ce qu'il venait d'apprendre.

C'est à ce moment-là que je vis moins souvent mon père. Je n'en connais pas la raison exacte. J'ai ouï-dire [1] par les domestiques, qui sont toujours au courant de tout, qu'il faisait sa cour au roi pour obtenir une charge, car il n'y avait plus d'argent à la maison. J'eus le sentiment qu'il me délaissait et j'en souffris. Fort heureusement, mes liens avec Luc-Henri s'étaient renforcés. Je crois qu'il me considérait comme son égale. Cela me ravissait. Son père souffrait d'une sorte de maladie de langueur habituellement propre au sexe féminin et il ne quittait guère sa chambre. Ma mère mignotait ma sœur

1. Entendu.

et ne s'occupait toujours pas de moi. Nous étions donc livrés à nous-mêmes et cela me convenait.

Ce fut la période la plus heureuse de mon existence.

Souventes fois, Luc-Henri me prenait sur son cheval et nous galopions jusqu'au port de Saint-Malo pour admirer les vaisseaux. Nous nous glissions au premier rang pour assister au déchargement des boucauts [1] de tabac, des tonnelets d'épices indiennes, des ballots d'étoffes, des bois précieux. C'est là que nous fîmes la connaissance d'un certain René Trouin. Il avait l'âge de mon cousin et connaissait des histoires fabuleuses qu'il nous contait alors que nous étions assis sur un tas de cordages roulés sur le quai.

— Quel dommage, à cause de la paix de Nimègue qui a mis fin à la guerre contre la Hollande, il n'y a plus d'armement en course ! Mon père a dû quitter son navire *La Vierge sans macule* pour rester à terre, où il s'ennuie à mourir, nous expliqua-t-il.

— Eh oui, renchérit mon cousin, sans guerre, plus de corsaires !

— Et sans armement pour le roi, nos parents sont à la ruine, ajoutai-je pour leur montrer que j'étais au courant des pratiques de la mer.

1. Tonneaux.

— Savez-vous que Jean Bart avait à peine vingt ans quand il commanda la galiote *Le Roi David,* armée de deux canons seulement, et qu'il prit huit navires ennemis ! reprit René.

— Plus tard, je serai corsaire au service du roi de France, annonça Luc-Henri.

— Moi aussi, lançai-je.

Les deux garçons éclatèrent de rire.

— Corsaire, ce n'est pas pour les filles ! prétendit mon cousin.

Je me renfrognai. Depuis que Trouin était l'ami de Luc-Henri, celui-ci était un peu moins le mien. Les deux garçons se liguaient parfois contre moi pour me rabâcher que je n'étais qu'une fille, et c'était fort désagréable.

Le comble fut qu'ils m'empêchèrent de monter sur un canot que Trouin avait l'intention d'emprunter, sous prétexte que j'allais leur porter malheur.

— Les filles, tout comme les lapins, sont interdites sur les vaisseaux, m'apprit René. Les premières perturbent l'équipage et les seconds rongent les cordages. On ne doit même pas prononcer le mot à bord sous peine des pires sanctions.

Ivre de colère, je me ruai sur Trouin, qui détachait l'embarcation de la bite d'amarrage. Ne s'attendant pas à mon attaque, il fut projeté à l'eau. Luc-Henri se pencha pour lui tendre la main et, à son tour, je le poussai à la mer. Après quoi je montai seule sur l'embarcation et je m'éloignai du quai à la rame sous les encouragements et les rires des marins qui avaient assisté à la scène.

De ce jour, je participai à toutes les expéditions que Luc-Henri et René entreprirent en mer et je suis assez fière de dire que lorsque c'était mon tour de jouer le capitaine, je savais parfaitement me faire obéir de mes hommes et diriger le bateau pour éviter les écueils, les bancs de sable, et louvoyer entre les grands vaisseaux amarrés au port.

L'année de mes dix ans, le monde s'écroula autour de moi.

Luc-Henri fut admis au collège Saint-Thomas de Rennes. Mon oncle avait décidé que puisqu'il n'avait pas les moyens de lui acheter une charge à la cour et encore moins un régiment pour qu'il entame une carrière militaire, il entrerait dans les ordres.

C'était, pour lui, pour nous, la fin d'une longue période de liberté. Il se soumit pourtant, parce qu'il n'avait pas le choix. Il lui fallait absolument un établissement pour assurer son avenir.

Je me souviens fort bien du jour où il quitta la maison. Je n'avais presque pas dormi de la nuit. Je perdais en lui plus qu'un ami. Il était la seule personne qui me comprenait vraiment et la seule (en dehors de mon père) qui m'aimât un peu. Je l'aimais aussi beaucoup. J'en étais même arrivée à me dire que, plus tard, il m'épouserait, tout laideron que j'étais, parce que nos enfances nous avaient liés à jamais. Comme il allait devenir prêtre, j'avais l'abominable impression qu'il m'abandonnait à mon triste sort.

Je ne me doutais pas alors de ce que le destin me réservait.

•

# CHAPITRE

# 2

Peu après le départ de Luc-Henri, alors que je me morfondais à contempler le ciel d'une des fenêtres de ma chambre, mon père, de retour de Versailles, me fit appeler dans le salon.

Lorsque j'y pénétrai, ma mère y était déjà, assise dans un fauteuil le dos à la cheminée, où crépitait un feu. Mon père m'annonça alors qu'il avait enfin obtenu une place pour moi dans la toute nouvelle Maison Royale d'éducation de Saint-Louis que Mme de Maintenon avait fait construire à Saint-Cyr.

— C'est une grande chance pour vous, mon enfant, poursuivit-il. J'ai fait une cour empressée au roi et j'ai usé de tous mes appuis pour obtenir ce privilège. Vous serez instruite et logée gracieusement jusqu'à vos vingt ans, après quoi le roi vous donnera une dot confortable qui vous permettra de vous marier.

— Ou tout au moins d'entrer dans un couvent, coupa ma mère, parce que les trois mille livres du roi ne suffiront pas à vous trouver un parti.

— Mais, je...

— Voyons, Henriette, vous allez sur vos dix ans. Il faut que vous appreniez tout ce qu'une demoiselle de qualité [1] doit savoir et abandonniez cette vie de sauvageonne, m'encouragea mon père.

— Ici vous subissez la mauvaise influence de votre cousin et vous reniez les préceptes de notre Sainte Église en vous conduisant comme... comme un garçon, déclara ma mère.

— Luc-Henri n'y est pour rien, et puis, il va devenir prêtre ! décrétai-je.

— Il n'est que temps pour lui. Il était sur une mauvaise pente et je suis heureuse que son père ait écouté mes sages conseils et qu'il soit à Saint-Thomas, continua ma mère.

Ainsi, c'était à elle que je devais le chagrin de perdre mon cousin. Et maintenant, c'était moi qu'elle voulait enfermer loin de notre maison. Mes yeux se brouillèrent de larmes contenues.

— C'est pour votre bien, murmura mon père.

1. Noble.

Il me parut qu'il n'en était pas vraiment convaincu, mais qu'il avait agi sur les ordres de ma mère simplement pour ne pas avoir à subir sa colère. Je lui en voulus. J'aurais souhaité qu'il prenne ma défense, qu'il m'aime pour deux, qu'il fasse comme si j'étais son fils. Mais, au fond de moi, je savais que c'était impossible.

Quelques jours plus tard, mon père attela notre charrette pour nous conduire, Mariette et moi, à Rennes d'où un coche partait chaque semaine pour Versailles.

On avait prévenu mon père qu'il n'y avait pas besoin de linge, de jupe, de bustier et de souliers puisque le roi s'en chargeait, mais Mariette ne voulut point que je parte avec de méchants habits. Elle parvint à me dénicher des vêtements neufs et prit un soin particulier à ma coiffure. Elle m'aimait tendrement et, dans mon cœur, elle avait pris la place de ma mère. J'étais contente qu'elle m'accompagnât.

Lorsque mon père me vit, il s'exclama :

— Je ne reconnais plus ma sauvageonne ! Voilà une véritable demoiselle !

Il avait mis de la gaieté dans sa voix. Toutefois, je ne me déridai pas, au contraire je marmonnai :

— Ce jupon est trop large, le corps [1] trop serré, et le tissu de la jupe trop fin, je ne pourrai point courir ainsi vêtue.

1. Corset.

— Il n'est plus question de courir, Henriette. Vous devez faire honneur au nom que vous portez et vous conduire dignement.

— Je me moque de tout cela, grognai-je.

— Il ne faut pas. L'honneur, c'est tout ce qu'il reste aux personnes qui se sont ruinées pour servir le roi. L'honneur, ma fille, souvenez-vous-en !

Ce petit discours me marqua et le mot « honneur » se grava dans ma mémoire.

Ma mère m'avait baisé froidement le front sur le perron en me recommandant :

— Soyez sage et pieuse.

Bertille, vêtue comme une demoiselle en miniature, les cheveux bouclés au fer, poudrés et enrubannés, me tendit la main et me récita la phrase que ma mère avait dû lui apprendre :

— Au revoir, portez-vous bien.

Je me baissai pour l'embrasser, mais elle recula. Nous étions étrangères.

Nous arrivâmes à Rennes à la couchée [1]. Mon père nous conduisit dans une modeste auberge et retint une chambre pour Mariette et moi. Il repartit aussitôt. Je ne sais si c'est par mesure d'économie ou pour éviter de s'attendrir trop sur notre séparation. Il me

1. À l'heure de se coucher.

tint serrée contre lui un moment, ce qui s'était rarement produit, et, la gorge nouée par l'émotion, il murmura :

— Ainsi donc vous êtes en chemin pour devenir une parfaite demoiselle...

— Père, dis-je, des larmes dans la voix, jamais je n'oublierai nos chevauchées, nos promenades sur le port, l'odeur de la mer et...

— Il le faudra, coupa-t-il. Votre mère a raison. Ce ne sont point là des activités convenables pour une demoiselle.

— Mais vous savez, vous, que c'est tout ce que j'aime.

Il soupira, m'éloigna de lui, saisit le chapeau qu'il avait déposé sur le lit et ajouta avant de franchir la porte :

— Oubliez tout cela. Consacrez-vous à l'étude et à Dieu puisque c'est votre destinée.

Lorsque j'entendis décroître son pas dans l'escalier de bois, les larmes que j'avais contenues inondèrent mes joues.

— Ainsi... c'est fini, balbutiai-je.

Il me sembla vraiment, à ce moment précis, que ma vie s'arrêtait.

Mariette me gronda :

— Voyons, un peu de cœur [1] ! Ton avenir ne sera sans doute pas aussi sombre que tu l'envisages ! Tu

1. Courage.

ne pars point sur une île déserte. Au contraire, toi qui n'as jamais eu d'amie, à Saint-Cyr tu en rencontreras par dizaines qui, elles aussi, ont quitté leur famille, leur maison...

— Luc-Henri était mon ami et cela me suffisait.

— Les hommes attendent de nous autre chose que de l'amitié, tu le découvriras plus tard, bien que pour Luc-Henri ce soit différent puisqu'il est destiné à la prêtrise. Et puis, ma chère enfant, tu n'as pas le choix. Tu dois te soumettre aux volontés de tes parents. Alors plutôt que de ressasser tes malheurs, il vaut mieux voir le bon côté de la chose.

— Et quel est-il ? répliquai-je, agacée par son ton moralisateur.

— Tu vas acquérir de l'instruction : savoir lire, compter, parler en société, chanter aussi... moi pour le dixième de tout ça, je serais prête à tous les sacrifices.

Ne partageant pas son opinion, je restai muette. Mariette était, pour quelques jours encore, mon seul lien avec ce qui allait devenir « mon passé », je ne voulais pas que nous nous fâchions.

Quand le coche nous emporta pour Versailles, afin de ne pas succomber à la tristesse, je décidai de mettre ses conseils en pratique. Je m'isolai du bavardage insipide des autres voyageurs en fermant les yeux et je décrétai que je venais de monter à bord d'un navire en partance vers les îles, celles que René Trouin nous avait décrites et où son père avait débarqué plusieurs fois pour charger des épices, du tabac, de la canne [1]. Des îles peuplées d'oiseaux multicolores et bruyants, de fleurs énormes et chatoyantes, où il fait toujours chaud et où la mer regorge de poissons étranges et bariolés.

Lorsqu'elle me laissa à la porte de la Maison Royale de Saint-Louis, je réunis mes forces pour ne pas fondre en sanglots. Je quittais définitivement la liberté chère à mon enfance pour un univers qui me parut avoir l'austérité d'une prison. D'ailleurs, Mariette, aussi émue que moi, abrégea nos adieux afin d'éviter que nous nous attendrissions.

— Tu prieras pour moi, me demanda-t-elle comme si j'allais prendre le voile sur l'heure.

— Tu ne m'oublieras pas ? la suppliai-je.

La dame de Saint-Louis qui était venue m'accueillir m'assura :

— Ne soyez pas en peine, mon enfant, cette maison est la vôtre désormais.

Il est vrai que, malgré le manque cruel de liberté, je me plus à Saint-Cyr, parce que je fis la connaissance de beaucoup de demoiselles de mon âge, et plus particulièrement des comédiennes choisies

1. Canne à sucre.

pour jouer la pièce *Esther* dans laquelle j'interprétais un petit rôle : Louise, Éléonore, Gertrude, Olympe, Charlotte, Isabeau, Adélaïde et Hortense. Cette dernière était bretonne et cela aurait pu nous rapprocher. Las ! nous n'avions point le même caractère ! Hortense était tout le contraire de moi : sage et pieuse. Le jour où je compris qu'elle avait été enlevée par Simon, j'en vins à me dire que nous aurions pu être amies car, comme moi, un feu intérieur la consumait. Il était trop tard.

Après son départ et celui de Louise, de Charlotte, puis d'Isabeau, je nouai des liens chaleureux avec Éléonore, Gertrude, Olympe, Anne et Jeanne, et ce sont elles qui m'aidèrent à supporter l'enfermement.

Jamais aucune d'elles ne me fit remarquer que je n'avais pas le visage fin, que mon ossature était épaisse et que je manquais de tétons. Il est vrai que la robe que nous portions gommait nos différences. Aussi, je me sentis pareille aux autres et, après les critiques de ma mère sur mon absence de beauté, il me fut doux de me fondre dans cette communauté. Pour autant, je n'oubliais pas Luc-Henri, ni René Trouin, nos batailles et nos après-dîners où nous admirions les navires en partance pour l'Orient ou ceux qui appareillaient le ventre chargé de merveilles. Je me demandais si Luc-Henri allait bientôt recevoir la tonsure qui le ferait prêtre et l'éloignerait définitivement de moi. Car plus je grandissais, plus je me rendais compte qu'un sentiment plus doux et plus trouble que l'amitié m'attachait à lui. Plus le temps m'éloignait de lui, plus l'amour me tourmentait. Certaines nuits, j'en voulais à la terre entière de l'avoir voué à la prêtrise alors que j'étais moi-même enfermée pour devenir nonne. La vie aurait été si belle si nous avions pu nous unir. Je me résignai cependant et je supportai tant bien que mal les six années qui me conduisirent à mes seize ans.

J'aurais probablement attendu sagement mes vingt ans et la dot du roi pour quitter Saint-Cyr si la règle de notre maison ne s'était pas durcie par la faute de l'abbé Godet des Marais [1]. En effet, il avait persuadé Mme de Maintenon qu'en nous faisant jouer des pièces de théâtre, en ouvrant notre esprit à la géographie, à l'histoire, à la littérature, et en acceptant que nous poudrions nos cheveux, elle nous conduisait tout droit en enfer. Ainsi, vers le milieu de l'année 1692, notre maison si gaie se transforma en un couvent triste et sévère. Gertrude fut emprisonnée pour une mauvaise action qu'elle avait commise. Isabeau eut la chance d'être engagée par Mme la duchesse de Bourbon pour éduquer ses enfants et Éléonore quitta notre maison pour

1. Voir *Le Rêve d'Isabeau.*

épouser l'ambassadeur de Saxe qui, malgré son grand âge, lui offrait l'opportunité de ne point finir religieuse et de mener une vie de cour agréable [1]. Mes chères compagnes partaient les unes après les autres, et lorsque, dans le dortoir, nous ne nous retrouvions plus que quatre pour bavarder, la nostalgie s'emparait de nous.

— Rien n'est plus comme avant, se lamentait Olympe, non seulement on nous interdit tout, mais notre groupe d'amies se réduit de plus en plus.

— Nous sommes encore quatre, il faut jurer de ne pas se séparer, proposa Jeanne.

— Cela ne sert à rien de jurer, ce n'est pas nous qui décidons ! ajouta Anne.

Elle avait raison. Et j'étais persuadée que si une occasion se présentait à l'une d'entre nous de fuir notre couvent, nous ne la manquerions pas.

Moi, en tout cas, je n'étais pas faite pour l'étude et encore moins pour le calme et la prière. La vie à Saint-Cyr ne m'avait été supportable que parce qu'on pouvait y chanter, y jouer la comédie, découvrir des pays en géographie ou des rois en histoire. Mais puisque ces joies nous étaient ôtées et qu'il ne nous restait, pour occuper nos journées, que la prière et la broderie des nappes d'autel, l'ennui

1. Voir *Éléonore et l'alchimiste*.

s'empara de moi et j'en perdis l'appétit et le sommeil.

Je tombai plusieurs fois en pâmoison pendant l'office. La sœur infirmière s'inquiéta de ma maigreur et me gronda un jour :

— Si vous continuez ainsi, mon enfant, nous serons obligés de vous rendre à votre famille.

— Ah ?

— Oui. Le règlement nous autorise à renvoyer les demoiselles atteintes d'une infirmité.

Je cachai le sourire qui naquit sur mes lèvres. Sœur Marie de Jésus venait de me donner la solution pour que je recouvre la liberté.

Dans la nuit du dortoir, Olympe, Jeanne et Anne, qui étaient venues me rejoindre dans mon lit me firent, à leur tour, la morale :

— Vous devez manger, Henriette, sinon vous tomberez malade pour de bon.

— Voyez, le mois dernier, deux petites de la classe rouge sont mortes des fièvres. Si votre organisme est affaibli, les mauvaises humeurs risquent de s'emparer de vous.

— Merci, mes amies, de vous soucier de moi, mais j'ai un autre projet, leur annonçai-je.

— Ah, oui ? s'étonna Anne.

— Il est vrai qu'au début c'est la détresse qui m'ôta l'appétit. À présent...

J'hésitais à leur ouvrir mon cœur. Jeanne m'y poussa en insistant :

— Poursuivez, Henriette.

— À présent, je ne mange plus volontairement... parce que c'est le seul moyen que j'ai de retourner chez moi.

Je leur révélai ma conversation avec sœur Marie de Jésus et je conclus :

— Je vais écrire à mes parents, pour leur apprendre que je suis malade. J'espère que la mère supérieure confirmera mon état de santé. Alors, peut-être mon père viendra-t-il me chercher ?

— Et cela en fera une de plus de partie ! soupira Jeanne.

Je lui entourai les épaules de mon bras et repris :

— Je vous regretterai toutes. En vous j'ai de véritables amies... mais depuis la venue de M. Godet des Marais, je n'ai que de sombres pensées et je rêve d'espace, de grand air, de liberté.

— Il est vrai que, d'après ce que vous nous avez conté sur votre enfance, vous préfériez courir le long de la mer plutôt que d'aller à vêpres, s'exclama Olympe.

— Oui. Assurément, vous ne ferez pas une bonne nonne, se moqua Anne.

— Moi non plus, renchérit Jeanne, ce sont les belles robes, les bijoux, les fêtes, les bals dont j'ai envie, et me gâter le teint dehors me ferait horreur.

— Je n'ai jamais été tentée par cette vie de parade. J'ai besoin d'action.

— Comme... comme un garçon, souffla Anne interloquée.

— Oui, je l'avoue. D'ailleurs, je sais monter à cheval, tenir une épée et j'ai le pied marin.

— J'ai du mal à vous imaginer en mousquetaire ou en corsaire, plaisanta Jeanne.

— Surtout maintenant que vous n'avez plus que la peau sur les os, me gronda affectueusement Olympe, et si vous voulez reprendre les activités que vous aimez, il faudra bien que vous mangiez à nouveau.

— Dès que j'aurai quitté cette prison, l'appétit reviendra, assurai-je.

Puis, pensant soudain à ma mère, je murmurai :

— Pourvu que ma mère ne s'oppose pas à mon retour !

— Mais non, voyons, une mère veut toujours le bonheur de sa fille, prétendit Jeanne.

C'est parce qu'elle ne connaissait pas la mienne !

# CHAPITRE

# 3

J'avais écrit à mon père depuis déjà plusieurs mois et sa réponse tardait à venir. J'avais cru que, me sachant souffrante, il se serait précipité pour venir me chercher. En y réfléchissant, je songeais que ma mère l'avait peut-être retenu, argumentant qu'en partant de la Maison Royale avant mes vingt ans je perdais la dot du roi et la possibilité d'entrer dans un couvent. Pendant mes nuits d'insomnie, c'est la voix acide de ma mère que j'entendais, à laquelle ne répondait que le silence ennuyé de mon père.

J'en vins même à m'imaginer qu'il m'avait rayée de sa vie puisque je n'étais qu'une fille promise à un destin de fille. Cela me blessa profondément et accentua mon mal-être.

Et puis, à la fin de mai 1692, les messes furent célébrées pour obtenir que le roi catholique Jacques II d'Angleterre retrouve son trône que lui avait volé son gendre protestant Guillaume d'Orange. Pour aider ce cousin, notre roi lui avait proposé une flotte de cinquante vaisseaux sous les ordres du vice-amiral de Tourville.

J'étais certaine que mon père avait affrété un ou plusieurs navires pour servir son roi et qu'il avait même pris le commandement de l'un d'eux. Je priais donc avec plus d'ardeur encore pour la victoire de la France qui ramènerait mon père couvert d'honneur. Le roi le récompenserait sans doute et c'en serait fini de ses problèmes financiers. Il pourrait me retirer de Saint-Cyr et me doter lui-même, ce qui ôterait à ma mère un motif de se plaindre de moi.

Pendant une semaine, je consentis à m'alimenter normalement. Je chantais à pleins poumons et je priais de toute mon âme pour la réussite de cette entreprise. J'étais la seule à y mettre autant de conviction, parce que, sans doute, j'étais la seule dont le destin dépendait de la victoire de nos soldats.

Puis, un horrible matin, les religieuses nous proposèrent de prier pour les marins et les soldats morts et disparus pendant la terrible bataille de Barfleur.

Mon sang se glaça.

Dès que nous eûmes regagné notre salle de classe, la gorge nouée par l'émotion, je questionnai notre maîtresse.

— Cela ne vous regarde en rien, lâcha-t-elle. Il faut prier, c'est tout ce qu'on vous demande.

J'insistai :

— C'est que mon père y était certainement.

Devant mes yeux rougis, elle finit par m'expliquer :

— Après une bataille de douze heures au large de Barfleur où nos troupes se battirent avec beaucoup d'ardeur, nos vaisseaux, moins nombreux que ceux de l'ennemi, furent contraints à la fuite. Ils tentèrent de se mettre à l'abri à Brest et Saint-Malo. Vingt-sept navires parvinrent à franchir le cap de la Hague, mais treize furent repoussés par le courant vers l'ennemi qui les incendia [1].

Des murmures horrifiés parcoururent la salle. Je pâlis. Jeanne, qui était à mon côté, me souffla :

— Voyons, n'imaginez pas le pire ! Pourquoi votre père ne serait-il pas parmi les navires qui sont sains et saufs ?

1. Bataille de Barfleur et défaite de la Hougue du 29 mai au 3 juin 1692.

Son optimisme me réconforta. Mon père était vaillant. Il connaissait la mer mieux que quiconque et la baie de Saint-Malo aussi bien que sa poche. À coup sûr, il avait sauvé son navire et son équipage. Lorsqu'il aurait mis pied à terre, il prendrait connaissance de ma requête et viendrait me chercher.

Cet espoir me donna la force de supporter la vie monotone et pieuse qu'on nous imposait parce que j'étais sûre que cela ne durerait plus longtemps.

Les jours passèrent. Je n'avais aucune nouvelle de mon père. Mille questions envahirent mon esprit : Ne voulait-il plus de moi ? Ma missive s'était-elle perdue entre Saint-Cyr et Saint-Malo ? Ma mère l'avait-elle interceptée ? Pire, mon père était-il mort ?

Je recommençai à me torturer, à perdre l'appétit et le sommeil.

Je sollicitai un entretien avec la mère supérieure. Lorsque je pénétrai dans son bureau, elle s'enquit d'une voix douce :

— Comment vous portez-vous, mon enfant ?

— Pas très bien, ma mère... c'est que je me tourmente pour mon père. Il a participé à la bataille de la Hougue et je n'ai aucune nouvelle depuis.

— Ah, cette défaite est abominable. Notre roi si pieux et vertueux n'avait pas mérité un tel châtiment des cieux.

— Certes. Me permettez-vous d'écrire une autre lettre à ma famille pour savoir ce qu'il est advenu de mon père ?

— Vous avez déjà écrit il y a un mois et notre règlement ne prévoit que quatre courriers dans l'année.

— Je le sais, ma mère... mais ma santé s'altère de ne point savoir si ce père tendrement chéri est vivant ou mort.

— Sœur Marie de Jésus m'a signalé votre cas.

Elle croisa les mains sur sa poitrine, sembla s'absorber dans la prière, puis me dit :

— Je vous autorise une lettre brève, que je lirai, bien entendu. Il ne faudrait pas que ce que j'autorise une fois devienne monnaie courante, car tout contact avec l'extérieur est à présent proscrit. Vous devez vous consacrer à la prière, uniquement à la prière.

Je la remerciai et, après une courte révérence, je quittai la pièce le cœur un peu moins lourd. J'allais enfin savoir ce qui était arrivé à mon père. Du moins, si lui ou ma mère consentait à me répondre.

J'écrivis donc trois lignes que la mère supérieure approuva et qui furent envoyées à l'adresse de mes parents.

L'attente reprit. Interminable.

Cette fois, la sollicitude de mes amies ne parvint pas à me calmer. Je me persuadais que mon père était mort et que ma mère, satisfaite de s'être débarrassée de moi, me laisserait croupir à Saint-Cyr.

La vie n'avait donc plus aucun intérêt. Et puisque je ne comptais pour personne, mieux valait mourir.

Et puis un après-dîner de septembre, alors que nous profitions de la douceur de l'automne pour deviser dans le jardin pendant la récréation, la mère supérieure me convoqua dans son bureau.

Aussitôt, l'angoisse me fit trembler. J'étais certaine que c'était pour m'annoncer une mauvaise nouvelle. Jeanne m'encouragea :

— Nous serons toujours à vos côtés pour vous soutenir.

— Et puis, attendez un peu avant de vous désoler, me conseilla Olympe, c'est peut-être votre père qui vient vous chercher !

Je ne la crus pas, et c'est les jambes flageolantes que je suivis la novice venue me prévenir.

En pénétrant dans la pièce, j'aperçus Mariette, debout à côté de la mère supérieure. Elle m'adressa un pâle sourire et je compris immédiatement qu'elle n'était pas messagère d'une bonne nouvelle. Moi, j'aurais voulu me jeter dans ses bras pour qu'elle me berce, me cajole, et redevenir la toute petite fille d'autrefois. Cependant, influencée par six années de rigueur où l'on nous avait enseigné à ne point étaler nos états d'âme, je me raidis, prête à accuser le coup.

C'était bien mal connaître le naturel de ma nourrice, qui s'écria :

— Seigneur Dieu, que tu es maigre ! Tu as tout du petit chat perdu !

La mère supérieure, froissée d'entendre Mariette me tutoyer et oser douter de la qualité des soins que j'avais reçus, la foudroya d'un regard réprobateur et dit :

— Henriette refuse de se plier à nos nouvelles règles. Elle ne s'alimente plus correctement et met sa santé en danger. Elle est un très mauvais exemple pour ses compagnes. Il ne manquerait plus que toutes nos demoiselles l'imitent ! C'en serait fait de la réputation de notre maison... Sa Majesté et Mme de Maintenon n'ont pas besoin de ce souci supplémentaire.

Mariette n'écoutait pas le discours de la supérieure. Elle me regardait avec attention et bienveillance et j'aurais voulu que cette minute dure, dure... car quelque chose au fond de moi me prévenait que ce qu'elle allait m'annoncer serait terrible.

— Ah, mon pauvre petit oiseau, poursuivit Mariette en prenant mes mains dans les siennes, la vie n'est pas tendre avec toi.

Voilà. C'était maintenant.

— Les voies du Seigneur sont impénétrables, ajouta la supérieure. Il faut prier.

J'avais envie de hurler : « Prier pour quoi ? Prier pour qui ? Qui est mort ? Mon père ? Ma mère ? Ma sœur ? »

— Mon père ? parvins-je à articuler.

— Oui, c'est Monsieur qui... continua Mariette.

Je poussai un petit cri et des larmes silencieuses coulèrent sur mes joues. Ainsi ce que j'avais craint s'était réalisé. Mon père était mort à la Hougue. C'est pour cela qu'il ne m'avait pas répondu et Mariette s'était déplacée pour m'annoncer que je devais sagement rester à Saint-Cyr afin de devenir religieuse. (Ma mère n'avait pas dû manifester le désir de me reprendre auprès d'elle.) Ce n'était pas l'existence dont j'avais rêvé, mais puisque Luc-Henri allait devenir prêtre, que mon père était mort et que ma mère m'ignorait, c'était le moyen de finir ma vie sans être dans la misère. Cette fois les sanglots me submergèrent, car je venais de réaliser que je n'avais que seize ans et que j'allais rester cloîtrée à Saint-Cyr ou dans un autre couvent le restant de mes jours.

Étonnée par cette soudaine crise nerveuse, Mariette me secoua un peu et lâcha tout à trac pour me faire réagir :

— Il est blessé, seulement blessé.

— Voyons, de la tenue, mon enfant, me gronda la supérieure qui ne s'était pas levée de son fauteuil.

Je me moquais éperdument d'avoir ou non de la tenue ! Je m'accrochai au cou de Mariette et je hoquetai :

— Blessé ? Gravement ? Où ?

— Gravement oui. Mais il est vivant.

— Dieu soit loué ! m'exclamai-je en reniflant.

— Nous ferons célébrer une messe à l'intention de tous les blessés de cette bataille, décréta la supérieure.

Mon angoisse s'atténuait, me laissant vide et pantelante. Mais puisque mon père était vivant, j'acceptai de rester à Saint-Cyr et de prier, encore prier pour sa guérison.

— Il te réclame à son chevet, ajouta Mariette.

— Hélas ! je...

Les larmes, un instant taries, menacèrent de resurgir.

— Il a réussi à obtenir que tu quittes cette maison.

Je n'en croyais pas mes oreilles. Je me tournai vers la supérieure qui, le visage fermé, confirma du bout des lèvres :

— Oui. Nous ne retenons pas de force les demoiselles qui nous sont confiées. Et puisque votre père a besoin de vous, vous êtes libre de partir.

Ivre de bonheur, je me précipitai à ses genoux, j'embrassai le bas de sa robe et murmurai :

— Merci, ma mère.

— Allez en paix, mon enfant, et que Dieu vous ait en sa Sainte Garde, me dit-elle en dessinant un signe de croix au-dessus de mon front.

Je me relevai et, saisissant la main de Mariette, je quittai ce bureau avec l'impression de respirer mieux, de marcher mieux. Une irrésistible envie de croquer dans une tranche de pain beurré me fit saliver.

Au mépris de toutes les règles de notre communauté, j'entraînai Mariette jusqu'au jardin, que je traversai en courant sous les regards réprobateurs des maîtresses. Mes amies, que je n'avais pas habituées à un tel débordement, se doutèrent qu'un événement heureux me conduisait à un pareil excès, et c'est le sourire aux lèvres qu'elles m'accueillirent. Devançant leurs questions, je lançai :

— Je pars ! Je quitte Saint-Cyr !

— Quelle chance vous avez ! s'exclama Olympe.

— Avez-vous de bonnes nouvelles de votre père ? me demanda Jeanne.

— Il est blessé et m'appelle à son chevet.

— Vous allez nous manquer, murmura Anne.

— Vous aussi, mes amies, vous allez me manquer. Pourtant, vous le savez, j'étouffais entre ces murs, et si Mariette n'était pas venue me chercher, je me serais laissée mourir de chagrin.

Notre maîtresse s'approcha de notre groupe et intervint sèchement :

— Puisque vous avez choisi de partir, Henriette, partez, mais ne troublez point le calme de notre maison.

— Je vous regretterai, madame, lui dis-je, et je vous remercie pour tout ce que vous avez eu la bonté de m'apprendre.

— J'ai fait de mon mieux, néanmoins il est bien difficile de contraindre un tempérament au silence et à la prière quand il est fait pour la vie au grand air. Notre roi, lui-même, lorsqu'il avait votre âge, préférait la chasse à l'étude.

Cette phrase me fit comprendre que notre maîtresse avait de la tendresse pour moi et qu'elle la cachait de son mieux pour se plier au règlement.

— Ne vous attardez pas, à présent, poursuivit-elle en me poussant gentiment pour m'éloigner de mes compagnes.

Je me retournai.

— Je ne vous oublierai pas.

— Nous non plus, me répondirent-elles.

# CHAPITRE 4

Le trajet de retour fut à la fois court et long.

Court, parce que Mariette, heureuse de me revoir, ne cessa de caqueter, me contant par le menu tout ce qui s'était passé pendant mon absence. Enfin, tout ce qu'elle savait. C'est-à-dire surtout des commérages de cuisine qui m'amusèrent. Je crois qu'elle forçait le trait pour éviter que je lui pose les questions qui me tenaient à cœur. À savoir : Ma mère était-elle contente de mon retour ? Comment allait vraiment mon père ? Qu'était-il advenu de mon cousin Luc-Henri ?

Elle mettait tant d'ardeur à me faire rire, à me présenter les bonnes choses qu'elle avait apportées dans un panier, que j'entrai dans son jeu, riant à ses histoires, mangeant de bon appétit et savourant ma liberté. Les mauvaises nouvelles seraient pour plus tard.

Cependant, plus nous approchions de Saint-Malo, moins je parvenais à rire.

Bientôt l'angoisse m'envahit et les dernières heures furent abominablement longues.

— Tu verras, me dit Mariette, rien n'a changé...

Cela ne me rassura pas, au contraire.

Pourtant, lorsque je sentis l'odeur de la mer et que j'entendis le grondement des vagues, une sorte d'apaisement m'enveloppa. Oui, j'arrivais chez moi ou plutôt dans mon pays. J'aurais voulu que la calèche longeât la grève pour revoir les lieux où René, Luc-Henri et moi aimions venir jouer, mais je n'osais point le demander. J'avais grandi et je devais, à présent, oublier mes jeux d'enfant.

Lorsque la voiture s'engagea dans l'allée plantée de tilleuls conduisant à la grosse bâtisse familiale, l'anxiété revint me tenailler.

Il me sembla qu'un génie avait effacé six années de ma vie. Je revenais dans cette maison aussi misérable que lorsque j'étais partie. J'avais dû abandonner le costume des demoiselles de Saint-Cyr, toute la lingerie, les bas et les souliers, et j'avais enfilé un jupon, une jupe et un bustier défraîchis dont ma mère ne voulait plus. Comme une lingère les avait arrangés pour moi sans connaître mes mesures, le corsage était trop profond pour ma gorge et la jupe trop courte dévoilait mes chevilles maigres.

Avec la même appréhension qu'autrefois, je pénétrai dans le salon. Ma mère m'accueillit comme à l'accoutumée avec de l'aigreur dans la voix :

— Ainsi, vous voilà, lâcha-t-elle en se levant du fauteuil où elle était assise.

— Oui, mère, et je suis bien heureuse de vous voir en bonne santé.

Elle tourna autour de moi, comme un maquignon tourne autour de la vache qu'il va acheter, et grommela :

— Vous n'avez point changé.

Ce que je traduisis par : vous n'avez point embelli. S'était-elle attendue à un miracle qui m'aurait transformée en une belle jeune fille que les nobles de la région se seraient disputée même sans dot ?

À Saint-Cyr, j'avais fini par oublier que je n'étais pas aussi belle que ma mère l'aurait souhaité. Elle me le rappelait crûment.

Je baissai la tête.

Elle la releva du doigt puis, m'ayant examiné de plus près, elle ajouta :

— La peau est blanche et sans taches, c'est au moins ce que vous aurez gagné en ne courant plus dehors par tous les temps. Toutefois vous êtes trop grande et trop maigre.

Puis s'adressant à Mariette, elle s'informa :

— Avez-vous croisé quelqu'une de nos connaissances ?

— Non, madame, aucune.

— Vous en êtes certaine ? Personne n'a vu Henriette ?

— Non, madame. Nous sommes montées dans notre voiture à Saint-Cyr et Raymond nous a conduites jusqu'ici.

— À la bonne heure.

Elle retourna s'asseoir dans le fauteuil qu'elle avait quitté, reprit l'aiguille de la tapisserie qu'elle brodait et soupira pour me signifier que l'entretien était terminé.

Fatiguée par le voyage, piquée par son attitude méprisante et intriguée par ce que je venais d'entendre, je lui répondis tout à trac :

— Il fallait me laisser à Saint-Cyr.

— N'avez-vous pas supplié votre père qu'il vous en fasse sortir ? me rétorqua-t-elle les yeux fixés sur son ouvrage.

— C'est que... je ne supportais plus cet enfermement et ma santé se détériorait.

— Simagrées.

— Non point, je...

— En tout cas, je vous ordonne de ne pas sortir de cette maison. Personne ne doit savoir que vous êtes revenue... c'est une question d'honneur.

Je restai muette. Ainsi, après avoir été prisonnière à Saint-Cyr, j'allais l'être dans la maison familiale !

— Votre père vous attend dans sa chambre, reprit ma mère, remerciez-le d'avoir fait de vous une fille de rien : sans grâce, sans dot, sans religion.

C'est fort chagrine que je sortis du salon. Mariette avait raison. Rien n'avait changé. Ma mère n'avait pas plus de sentiment pour moi qu'avant mon départ. Je supposai qu'elle réservait sa tendresse à ma sœur.

Je montai à l'étage et je frappai à la porte de la chambre de mon père.

— Entrez ! me répondit-il.

Le son de sa voix que je n'avais pas ouï depuis six ans m'émut. Je me rendis brusquement compte qu'aux questions que j'avais posées durant le voyage sur l'état de mon père, je n'avais eu que des réponses évasives. Soudain, je m'affolai. Dans quel état se trouvait-il ? Je me retournai pour chercher le réconfort de la présence de Mariette, mais j'étais seule sur le palier. Un tremblement me saisit et j'hésitai à tourner la poignée.

— Entrez ! reprit-il plus fort.

J'aspirai une gorgée d'air pour me donner le courage d'affronter la réalité et je poussai la porte.

Il était allongé sur son lit, le drap remonté jusqu'au cou.

— Henriette, enfin ! lança-t-il gaiement.

Je le dévisageai rapidement afin de découvrir les traces de ses blessures. Je ne vis rien. Il avait bonne mine et me souriait. Toutes mes craintes s'envolèrent. Nous allions pouvoir reprendre nos chevauchées, nos promenades sur le port, il avait encore tant de choses à m'apprendre.

— Père ! m'écriai-je, je suis si heureuse de vous revoir !

Je m'agenouillai dans la ruelle de son lit et je lui baisai la main. Il me posa un tendre baiser sur le front. J'étais à cet instant la plus comblée des filles.

— Que vous avez changé ! constata-t-il.

Je ne lui révélai point que ma mère m'avait dit exactement le contraire quelques minutes auparavant.

— La petite fille a fait place à une jolie demoiselle.

Jolie ? Ce n'était pas ce qu'assurait ma mère, mais lui me voyait avec les yeux d'un père aimant et c'était là toute la différence. Pour cette phrase qui me réchauffait le cœur, j'oubliai toute retenue et je me jetai dans ses bras.

Il gémit. Aussitôt je m'éloignai.

— Vous ai-je fait mal ?

— Hélas, mon enfant, la guerre a été cruelle avec moi et...

Il s'arrêta, ne sachant sans doute pas comment m'annoncer son infortune. Alors, il arracha rageusement le drap qui le recouvrait et me dit :

— Voyez !

Je portai une main à ma gorge en poussant un cri étouffé : il n'avait plus de jambes.

— Un boulet ennemi m'a fauché. Le chirurgien a été obligé de m'amputer à hauteur des genoux... J'aurais préféré la mort.

— Oh, non, père, sans vous, je...

— Il ne me reste rien, rien... sauf la vie qui m'est fort difficile à supporter. J'ai tout perdu à la Hougue. Je me suis lourdement endetté pour armer *Le Merveilleux* et *Le Magnifique* et les mettre au service de Sa Majesté. Si je ne parviens pas à rembourser, la maison sera vendue, ma famille sera à la rue tandis que je croupirai en prison.

Il s'épongea le front d'un mouchoir et poursuivit :

— De plus, afin de m'impliquer personnellement dans cette bataille, j'avais pris le commandement du *Magnifique*. Ce fut... horrible.

Il s'agita sur sa couche comme s'il revivait le désastre, puis il reprit d'une voix sourde :

— Les courants et les vents contraires nous poussèrent vers la Hougue où six vaisseaux s'échouèrent. Les ennemis nous y rejoignirent et commencèrent à nous bombarder. C'est là que je fus blessé. Puis, voyant que le navire que je commandais allait tomber entre les mains anglaises, j'y ai mis personnellement le feu.

— Seigneur ! m'exclamai-je horrifiée en imaginant le spectacle.

Je savais ce que ce sacrifice représentait pour un homme amoureux des navires comme l'était mon père.

— Je pensais mourir avec mon bateau et mes hommes. Le destin cruel a voulu que je survive à ce déshonneur quand une grande partie de mon équipage a péri. J'aurais désiré laisser de moi l'image d'un officier valeureux mort en combattant... au lieu de cela, je suis un poids pour ma femme et mes filles...

— Non, pas pour moi, père. Vous avez eu la grande bonté de comprendre combien je souffrais de mon enfermement à Saint-Cyr. Je vous soignerai jusqu'à mon dernier souffle.

Il me caressa les cheveux et murmura :

— Tu ne m'en veux pas de t'avoir ôtée de cette maison ?

— Au contraire, père, je vous en remercie du fond du cœur. Saint-Cyr n'était pas un établissement pour moi.

— Je le savais... mais ta mère avait tant insisté pour que tu y ailles. Elle ne me pardonne pas de t'avoir rappelée... Elle ne me pardonne pas non plus ma défaite qui jette l'opprobre sur notre nom et nous condamne à la misère. Si j'étais mort, elle aurait pu se remarier avec un gentilhomme bien placé à la cour...

Je lui serrai la main pour lui montrer ma compassion. Jamais il ne m'avait parlé avec tant de franchise. Je mesurai alors que j'avais grandi et mûri et que j'étais apte à recevoir certaines confidences. Cela renforça encore les liens qui m'unissaient à lui.

— Je ferai tout ce qui est en mon pouvoir pour atténuer vos malheurs, lui promis-je.

Il ferma les yeux, fatigué sans doute par cette conversation et l'émotion de nos retrouvailles.

Je sortis de la chambre sur la pointe des pieds.

## CHAPITRE

# 5

Alors que je m'étais retirée dans ma chambre pour me changer et me reposer, Bertille entra sans frapper. Elle était vêtue, comme si elle allait être présentée au roi, d'une robe de soie crème chargée de dentelles, et de nombreux rubans retenaient les boucles de sa chevelure châtain. Elle me dévisagea, fit la moue et me lança :

— Ainsi donc vous voilà de retour. Il paraît que vous ne vous plaisiez pas à Saint-Cyr ?

— C'est exact.

— Comment peut-on ne pas se plaire lorsqu'on a la chance d'être si près de Versailles, de la cour, du roi, de la vie en quelque sorte !

— C'est que nous n'avons pas le même caractère.

— Pour sûr.

Elle se posa délicatement sur un ployant en ayant soin de ne point froisser l'étoffe de sa robe et ajouta :

— Mère regrette que ce ne soit pas moi qui aie obtenu cette place. J'aurais pu avoir une bonne dot et un beau parti... au lieu de cela, je n'ai rien et vous non plus. Vous avez été bien égoïste en abandonnant Saint-Cyr et vous mettez mère dans une cruelle situation. Deux filles à marier, un mari infirme et pas un denier !

Que cette gamine de dix ans me fasse la morale m'échauffa et je répliquai :

— Je vous prie de ne pas m'imputer toutes les misères familiales. Je ne serai pas une lourde charge. Je me contente de peu autant pour la nourriture que pour les vêtements, ce qui ne semble pas être votre cas.

— Mère aime que j'aie un attifement [1] convenable, surtout les mercredis après-dîner, car elle invite les dames des alentours pour me présenter.

— Elle vous cherche déjà un parti ?

— Elle prétend que plus la promise est jeune et jolie, plus elle a de chance de s'établir au mieux.

1. Une tenue.

— Et vous, qu'en pensez-vous ?

— Moi, pourvu que mon mari ait du bien et une charge à la cour qui me permette de fuir cette province... cela me conviendra.

— Même s'il est vieux, borgne ou bossu ?

Elle éclata de rire.

— Il sera jeune et beau, maman me l'a promis.

Sa naïveté était touchante. Bertille n'était, après tout, qu'une gamine qui rêvait au prince charmant, encouragée par notre mère. Et j'étais sûre que cette dernière lui avait parlé de moi en termes peu flatteurs, ce qui expliquait son animosité à mon égard. Je l'excusai donc.

— Allez-vous, vous aussi, assister aux après-dîners du mercredi ?

— Je ne pense pas.

— Pourtant, vous n'êtes pas aussi laide que mère me l'avait assuré. Et vous pourriez intéresser un veuf.

Sa franchise me fit sourire.

— Je vous remercie. Le mariage ne m'intéresse pas.

— Comment ! s'exclama-t-elle horrifiée. Sans mariage, les filles n'ont aucune place dans la société !

Elle répétait avec application les propos de notre mère. Et elle enchaîna :

— Certes, si vous préférez le couvent...

— Je ne veux point de couvent. Je veux être libre de mener ma vie à ma guise.

— Seigneur ! Mère a raison, vous avez le même caractère que Luc-Henri.

Je rougis lorsqu'elle prononça ce prénom. Il me tardait d'avoir des nouvelles de Luc-Henri et brusquement elle m'offrait l'occasion d'en obtenir. La gorge nouée par l'émotion, je l'interrogeai d'un ton que j'espérais indifférent :

— Ah, oui ? Et... pourquoi dites-vous que nous avons le même caractère ?

— Parce que lui aussi a quitté son collège.

— Il n'est donc pas devenu prêtre ?

Elle éclata de rire à nouveau, puis, me faisant signe d'approcher, elle me souffla à l'oreille :

— Que nenni ! Il paraît qu'il aime trop les femmes et pas assez Dieu.

— Voyons, Bertille, la grondai-je, étonnée de trouver dans sa bouche enfantine des propos aussi libertins.

— J'ai entendu la femme de chambre le dire au cocher alors que je montais dans la voiture, se renfrogna-t-elle, mécontente d'avoir été rabrouée.

— Ce ne sont que des commérages de domestiques.

— Peut-être. N'empêche qu'il n'est plus à Saint-Thomas.

— Et... où est-il ?

— Personne ne le sait et son père est si honteux qu'il ne prend plus ses repas avec nous.

— Je suis certaine que ce n'est pas si grave que cela. Luc-Henri était valeureux et n'avait pas la moindre envie de peiner son père.

— Luc-Henri est un mécréant. Mère affirme qu'il ira en enfer.

Cette péronnelle commençait à m'agacer, et qu'elle s'attaque à Luc-Henri m'était insupportable. L'image que je gardais de lui n'était pas celle d'un vaurien. Au contraire. Et, à Saint-Cyr, c'était son visage fier et souriant qui meublait ma solitude. Elle n'avait pas le droit de détruire cela. Je la renvoyai assez sèchement :

— Ce n'est pas charitable de prêter l'oreille aux ragots. Laissez-moi, à présent, j'ai à faire.

Elle se leva, défroissa sa jupe du plat de la main et quitta ma chambre sans me dire au revoir.

Cette conversation me troubla.

Je pardonnais à Bertille de ne point m'aimer. Elle avait été façonnée par notre mère en ce sens. Mais il me semblait qu'elle n'avait pas un mauvais fond et j'espérais, avec le temps, m'en faire une amie.

Par contre, ce qu'elle m'avait appris au sujet de Luc-Henri me mettait le cœur à l'envers. Que s'était-il passé ? Pourquoi avait-il quitté le collège ? Où était-il ? Et qu'avait-il pu commettre de répréhensible pour que son père ait honte de lui ?

Le plus simple était de lui poser la question.

Je traversai toutes les pièces du rez-de-chaussée jusqu'au petit appartement que mon oncle occupait au nord-ouest de la maison. Je n'y étais point allée souvent dans mon enfance. Ma mère, qui considérait le frère de son époux comme un incapable, nous interdisait de lui rendre visite. Ne voulant pas qu'elle ait à se plaindre de moi, je lui avais obéi.

Je frappai à la porte. Aucun domestique ne vint m'ouvrir. Mon oncle n'en avait pas. Je frappai encore. Pas de réponse. Peut-être était-il sorti ?

Je tendis l'oreille et il me sembla bien percevoir un bruit à l'intérieur. Je frappai plus fort. Le bruit s'arrêta.

— Mon oncle, criai-je à travers l'huis, c'est moi, Henriette !

— Henriette ?

— Oui, j'arrive de Saint-Cyr et je viens vous saluer.

Lorsqu'il ouvrit, j'eus un choc devant ce vieil homme à barbe blanche, le cheveu rare, sans perruque, vêtu d'une robe de chambre élimée.

— Je suis heureux de te revoir, marmonna-t-il de sa bouche édentée.

Mais son ton sonnait faux. Je m'excusai :

— Je vous dérange, sans doute...

— Non, non.

Il ne m'invitait pas à entrer, mais le désir que j'avais de connaître le destin de Luc-Henri me poussa à faire un pas dans la pièce.

— Alors, tant mieux, lui dis-je avec mon sourire le plus avenant, car j'aurais plaisir à bavarder avec vous.

La pièce était dans la pénombre. Les rideaux en étaient fermés. Il y régnait une odeur désagréable de renfermé et de crasse et aussi un grand désordre. Il y avait partout des livres : sur les sièges, sur le sol, certains empilés, d'autres éparpillés. Surprenant sans doute mon regard, il se dirigea vers une des fenêtres, en tira les rideaux et m'expliqua :

— Je vis seul et les livres sont mes uniques compagnons.

Je saisis la balle au bond et j'enchaînai :

— Luc-Henri ne vient-il plus vous voir ?

Le prénom de son fils le réveilla de sa léthargie et il siffla entre ses dents :

— Luc-Henri est mort.

Le sol sembla se dérober sous mes pieds et je crispai mes mains sur le dossier d'un fauteuil pour ne pas tomber.

— Mort ? répétai-je. Personne ne m'en a informée et je...

Mariette et mon père, connaissant mon affection pour mon cousin, n'avaient sans doute pas osé m'annoncer son trépas. Ainsi le seul être éprouvant de l'affection pour moi n'était plus... La vérité m'apparut alors au grand jour : c'était pour lui et uniquement pour lui que j'étais revenue à Saint-Malo, et l'emprisonnement à Saint-Cyr m'était si pénible, parce que Luc-Henri me manquait. Lui, plus que la mer ou la liberté comme je l'avais prétendu.

Je suffoquais et aspirais l'air par saccades.

Mon oncle ne parut pas s'apercevoir de mon trouble. Il regarda par la fenêtre, comme pour me signifier que notre bref entretien était terminé. Ce mouvement me tira du désespoir dans lequel je m'enfonçais et brusquement je pensai à la conversation que je venais d'avoir avec Bertille. Il ne m'avait pas semblé qu'elle me parlât de Luc-Henri au passé ? N'aurait-elle pas été, elle aussi, informée de sa mort ? Serait-il décédé récemment ? Ou alors... Un espoir idiot me fit vibrer et je criai presque :

— Mort, dites-vous ?

— Pour moi. Il est mort.

— Pour vous... seulement ? balbutiai-je.

Il se tourna vers moi et me fixa de ses yeux délavés.

— Oui. Moi, je n'ai plus de fils. Mais lui... oh, lui... il doit bien se moquer de n'avoir plus de père !

Je contins le soupir de soulagement qui gonfla ma poitrine. J'avais envie de chanter : Il est vivant,

vivant ! Et s'il avait quitté le collège, c'était qu'il n'avait pas l'intention de devenir prêtre... et s'il n'était pas prêtre, j'avais une chance de conquérir son cœur. Je n'étais sans doute pas aussi jolie que Bertille, mais, dans notre enfance, Luc-Henri ne m'avait jamais montré d'antipathie, au contraire. La joie montait en moi. Ce n'était pourtant point le moment de la montrer alors que mon oncle paraissait si désespéré. Et puis, je devais essayer d'en savoir plus. Aussi j'insistai, sachant pourtant que la bienséance m'interdisait de le faire :

— Êtes-vous fâché qu'il ait abandonné la prêtrise ?

— Qui vous l'a dit ? grogna-t-il méchamment.

— Peu importe.

— Si. Personne ne doit savoir... le déshonneur est trop grand.

— Ce n'est point un déshonneur de ne pas s'acclimater à un établissement. Moi-même, je n'ai pas pu m'habituer à la rigueur de Saint-Cyr et...

— Je ne vous félicite pas, coupa-t-il. Vous avez agi comme... comme une écervelée...

Il s'échauffait, marchait à grand pas dans la pièce, puis, me pointant son index sous le nez, il poursuivit :

— ... sans vous soucier de votre famille. Votre attitude irresponsable met vos parents dans une pénible situation !

J'avais l'impression qu'il me parlait comme si j'avais été son fils. Je supposais qu'il déversait sur moi le fiel qu'il n'avait pas pu répandre sur Luc-Henri. Je jugeais pourtant son attitude disproportionnée. Je le lui signifiai avec le plus d'égards possible :

— Voyons, mon oncle, il n'est pas si grave de quitter un collège pour...

— Taisez-vous ! me coupa-t-il à nouveau. Vous ne savez pas de quoi vous parlez. Et puis, sortez, maintenant. Je veux demeurer seul.

— Mais vous ne m'avez point dit...

— Il n'y a plus rien à dire. Rien. Luc-Henri n'existe plus. Je n'ai plus de fils.

Un sanglot, qu'il retint, lui noua la gorge. Il me poussa dehors et claqua la porte dans mon dos.

# CHAPITRE

# 6

Il me sembla que j'avais vieilli de dix ans en quelques heures tant les soucis m'assaillirent : mon père gravement blessé, ma mère dans les pires dispositions à mon encontre et mon oncle fâché avec son fils.

Malgré tout, une petite lumière scintillait dans mon cœur. Luc-Henri n'allait pas devenir prêtre. Il me parut que mon retour était un signe du destin comme si le ciel m'avait soufflé à l'oreille : « Il est tant de revenir à Saint-Malo, celui que tu aimes en secret est à nouveau libre. »

Il fallait, à présent, que je le retrouve, car j'avais bien compris qu'il n'était plus le bienvenu dans notre maison.

J'étais persuadée que Mariette devait en savoir plus qu'elle ne m'avait dit.

Elle était à la cuisine en train de préparer un potage, et comme je m'étonnais de l'absence de Rose, la cuisinière au service de la famille depuis de nombreuses années, elle m'expliqua :

— Rose était vieille, elle ne voyait plus et n'entendait plus. Elle est à l'hospice.

— Personne n'a donc été engagé pour la remplacer ?

— Hélas ! il n'y a plus d'argent dans la maison. Ta mère m'a donné le choix, ou je prenais la place de Rose ou je partais. Mon rôle de nourrice et de gouvernante était terminé. Mais je suis attachée à cette maison, alors je suis devenue cuisinière, femme de chambre et garde-malade de votre père. Comme domestiques, il n'y a plus que Raymond qui sert de cocher, de palefrenier, de jardinier, et moi.

— Je suis contente que tu sois restée... sans toi, la maison serait invivable.

— C'est un peu pour toi que je ne suis pas partie. Tu es la fille que je n'ai jamais eue.

Je me jetai à son cou pour l'embrasser et nous restâmes quelques instants enlacées. Elle m'éloigna d'elle et se lamenta :

— Ne me fais pas perdre mon temps, j'en ai pas beaucoup.

Elle s'assit sur un trépied et entreprit de finir de plumer une poule, tandis que le chaudron, pendu à la crémaillère de la cheminée, fumait en répandant dans la pièce une bonne odeur de légumes bouillis.

— C'est pour célébrer ton retour que je mets cette volaille au pot... on ne mange pas de la viande tous les jours depuis que ton pauvre père...

Elle s'interrompit pour souffler sur les plumes qui voletaient près de son visage et reprit :

— Comment va-t-on pouvoir se tirer d'affaire avec si peu de revenus ?

— La situation est donc si grave ?

— Ton père est couvert de dettes alors que ta mère et ta sœur...

Elle s'arrêta et leva les yeux au ciel. C'est moi qui poursuivis :

— ... continuent à commander robes et dentelles, n'est-ce pas ?

— Oui. Bertille, qui n'a que dix ans, est vêtue comme une princesse et ta mère donne des collations somptueuses chaque mercredi afin de laisser croire aux familles ayant un gentilhomme à marier que le désastre de la Hougue n'a rien changé à votre train de vie. Et moi, je dois faire des prouesses pour fabriquer des douceurs et acheter du chocolat pour satisfaire tout ce beau monde.

Elle s'énervait et les plumes volaient de plus en plus haut dans la cuisine.

J'hésitai à lui parler de Luc-Henri, car il me parut que notre famille avait bien assez de soucis sans y ajouter ceux de mon oncle et de son fils. Cependant, je ne me résolvais pas à quitter la pièce. C'est là que, petite fille, je me réfugiais lorsque ma mère m'avait grondée pour une peccadille, ou pire, lorsqu'elle m'avait ignorée plusieurs jours de suite. Là, près de l'immense cheminée toujours allumée, la cuisinière me prenait sur ses genoux et m'offrait un gâteau encore tiède. Les filles de salle jouaient avec moi et j'oubliais ma peine. Je m'assis sur un tabouret, laissant la nostalgie m'envahir. Mariette s'en aperçut.

— Ah, on peut dire que tu es venue souvent te réfugier dans cette cuisine, soupira-t-elle.

— C'est vrai. J'aime cet endroit.

— Luc-Henri aussi. Mais lui, c'était un chenapan ! Et ce qu'il aimait, c'était chaparder de la nourriture.

— Bertille m'a appris qu'il n'était plus au collège.

— Oui.

— Et que fait-il à présent ?

— Je l'ignore.

Elle se leva et s'affaira à vider la volaille en me tournant le dos. Elle non plus n'avait pas envie de parler. Qu'avait donc pu faire Luc-Henri pour que tout le monde garde le silence ?

— Voyons, Mariette, je ne peux pas croire que tu ne sais rien ! m'exclamai-je.

— Ce ne sont pas des choses à raconter.

— Même à moi ?

— Surtout à toi, ma douce...

— Mais enfin, pourquoi ?

Mariette se planta devant moi les deux mains sur les hanches et, fronçant les sourcils, elle me gronda :

— Voilà maintenant que c'est toi qui fais la bête ! Il aurait fallu que je sois pas bien maligne pour ignorer le tendre sentiment qui te lie à ton cousin.

Je rougis en baissant le regard. Ainsi, elle avait deviné. Je bredouillai :

— Je l'ai quitté, je n'avais que dix ans.

— Déjà à cet âge tendre, tu m'avais confié que c'était lui que tu voulais épouser.

— Ah ? Je ne m'en souviens pas.

— Tes projets ont-ils changé ?

Je restai muette. Mes sentiments pour mon cousin avaient, je le sentais, grandi en même temps que moi, et l'absence n'avait fait que les renforcer alors que je savais cet amour impossible. Depuis que j'avais appris qu'il avait quitté la prêtrise, mon cœur menaçait d'éclater d'espoir.

— Oublie-les ! lâcha-t-elle.

La colère s'empara de moi et j'explosai :

— Me diras-tu, à la fin, ce qui s'est passé ? A-t-il volé quelqu'un et est-il menacé de prison ?

— Non point.

— S'est-il battu en duel ?

— Non.

— A-t-il commis un meurtre ?

— Non.

Mon esprit était à court d'imagination et je m'effondrai sur le sol en sanglotant.

Ma détresse toucha Mariette. Elle me releva, me prit dans ses bras, me berça et me murmura à l'oreille :

— C'est que... la situation de Luc-Henri plonge toute la famille dans le déshonneur et...

— Je suis prête à tout entendre. L'incertitude sur son sort est le plus cruel des supplices.

Elle hésita encore, puis se décida.

— Luc-Henri a été renvoyé du collège. Il n'assistait ni aux cours de latin ni aux cours de théologie et de philosophie, prétendant que cela ne lui servirait à rien pour la vie qu'il voulait mener. Par contre, inscrit dans la section « Science et Marine », il y était très assidu.

Il ne s'agissait donc que de cela ? Je retrouvai le sourire pour ajouter :

— Cela ne m'étonne pas de lui.

— Certes, il aime la mer... mais il aime aussi les... Oh, cela me gêne affreusement de t'en parler.

— Voyons, Mariette, j'ai bientôt dix-sept ans, je peux tout entendre.

— Il aime la compagnie des dames et on lui prête de nombreuses aventures... même avec des femmes mariées. C'est la véritable raison de son renvoi. Il ne pouvait pas devenir prêtre alors qu'il s'absentait des cours pour... pour se rendre chez des femmes.

Mon sourire avait disparu.

Ainsi Luc-Henri ne m'aimait pas. Il ne m'avait peut-être jamais aimée. Enfants, nous nous entendions à merveille. Moi, j'avais continué à rêver de lui, alors qu'il m'avait oubliée. Mortellement blessée, je quittai les bras de Mariette et, me redressant fièrement, j'assurai :

— Je te remercie. Ta franchise me permettra de tourner plus facilement cette page de ma vie. À présent, moi aussi, je m'efforcerai de ne plus prononcer son nom afin de l'oublier définitivement.

Mais je savais que ce serait difficile.

CHAPITRE

# 7

Je passai beaucoup de temps au chevet de mon père. Ce n'était pas une corvée, au contraire. Nous nous entendions bien. Il me conta plusieurs fois avec force détails cette tristement célèbre bataille de la Hougue.

— Tourville [1] attendait de recevoir les ordres de Versailles... Ce fut là son erreur. Et puis, nous n'avions que quarante-quatre vaisseaux alors que quatre-vingt-dix étaient prévus. Pendant que le conseil de guerre tergiversait, la flotte hollandaise rejoignit la flotte anglaise... ce qui leur faisait

1. Anne-Hilarion Costentin de Tourville (1642-1701) : vice-amiral de France et commandant en chef de la flotte française.

quatre-vingt-dix-neuf vaisseaux, sans compter les frégates, les brûlots et autres bâtiments. Le combat s'engagea au large de Barfleur sur les dix heures du matin... affreux !

J'essayais de le distraire en lui relatant ma vie à Saint-Cyr. Mais les images de la défaite, de l'incendie de son navire, de la mort de ses compagnons, de la perte de ses jambes et surtout de son honneur revenaient sans cesse le hanter :

— Il est difficile de vivre lorsqu'on a perdu l'honneur, me répétait-il.

J'assistais à tous ses repas afin de l'obliger à se nourrir. Je crois que si je ne l'avais point fait, il se serait laissé mourir de faim. Un soir, alors qu'il venait de terminer sans rechigner une coupelle de confiture de roses, il se lamenta :

— Ma pauvre Henriette, vous voilà devenue garde-malade. Ce n'est guère plaisant pour une demoiselle.

— Vous avez été si bon avec moi, père. Il est normal que je m'occupe à présent de vous.

— Cette attention que vous me portez me réchauffe le cœur... Las ! le destin n'est point clément avec vous.

Je ne répondis pas pour ne pas le peiner. Pourtant, il avait raison. Et si ce n'était point une corvée de le distraire, il m'arrivait tout de même de craindre l'avenir. Qu'allais-je devenir ? Ma vie se résumerait-elle à servir de garde-malade à mon père ? La folie ne risquait-elle pas de m'atteindre si je continuais à vivre recluse dans cette maison ?

Toutes ces questions tournaient en boucle dans ma tête.

Après le dîner, père me demandait de lui lire quelques pages de l'histoire de France. Cela me plaisait. À Saint-Cyr, l'histoire était une de mes matières préférées et j'avais beaucoup regretté que les leçons en aient été supprimées.

Parfois, il était si abattu qu'il me disait :

— Ce jour d'hui [1], je préfère demeurer seul.

Je respectais son vœu et je quittais sa chambre.

Afin de me concilier ma mère, je ne sortais jamais de la maison, me contentant d'admirer l'arrivée du printemps par les fenêtres et me réfugiant dans ma chambre dès qu'une calèche s'arrêtait devant le perron.

Dans la bibliothèque de notre maison, je découvris, sur l'une des étagères les plus élevées, des romans dont la lecture nous était interdite à Saint-Cyr mais dont j'avais ouï parler. Je les dévorai. Je me jetai sur *L'Astrée* de M. Honoré d'Urfé. J'étais Astrée et je voyais Luc-Henri sous les traits de Céladon. Et lorsque j'étais plongée dans leurs aventures mouvementées, je n'entendais même pas la cloche

1. Aujourd'hui.

du dîner ou du souper et c'est Mariette qui venait me chercher dans ma chambre. J'arrivais à table sans avoir eu le temps de me coiffer, la jupe froissée, car je lisais le plus souvent allongée sur mon lit.

— Encore en retard, grognait ma mère sans m'accorder un regard.

— Veuillez m'excuser, mère, disais-je en m'asseyant à côté de Bertille impeccablement vêtue et coiffée.

Un après-dîner, alors que j'étais montée dans ma chambre et que je venais de saisir mon livre en soupirant de plaisir, Bertille qui m'avait suivie discrètement m'apostropha :

— Que lisez-vous ?

Je sursautai et j'essayai de cacher le roman. Je savais que l'Église interdisait ce genre de lecture aux jeunes filles. Elle me l'arracha des mains.

— Est-ce que c'est un livre interdit ?

— Ce n'est pas un livre pieux... mais il me fait rêver. J'ai passé l'âge des contes et je connais les Évangiles par cœur, lui répondis-je pour lui rabattre le caquet.

Contrairement à toute attente, elle ne se fâcha point et me réclama :

— Pouvez-vous m'en lire un passage ?

— Un passage, cela ne servirait à rien. Il faut prendre l'histoire depuis le début si l'on veut vibrer avec les héros et suivre correctement leurs aventures.

Elle s'assit sur mon lit et décréta :

— Alors, je vous écoute.

Certes, j'aurais pu refuser. Cela ne m'effleura même pas. Il me parut que c'était un premier geste pour que nous devenions amies... et je ne me trompais point. Car tous les après-dîners, pendant que notre mère se retirait dans ses appartements pour se reposer, Bertille montait dans ma chambre et c'est ensemble que, après avoir relu avec grand plaisir le roman depuis le début, nous poursuivîmes la lecture de *L'Astrée*. Nous avions convenu de ne point en parler à notre mère et ce secret partagé fut un début de lien fraternel.

Le mercredi, Bertille ne me rejoignait pas dans ma chambre. Il y avait collation dans le salon bleu. Je n'y étais pas conviée.

— Il nous faut songer à marier Bertille, m'expliqua notre mère. Elle a plus de chances que vous de trouver un bon parti. Elle est ravissante et parfaitement aimable. Notre ruine n'est pas encore publique et nous parvenons à donner le change. Nous pouvons promettre une dot convenable. Promettre n'engage à rien. J'ai annoncé à toutes nos connaissances que vous vous destiniez au couvent. Personne n'est au courant que vous avez quitté Saint-Cyr.

Et pour cause ! avais-je envie de lui dire. Je n'avais pas mis un pied dehors depuis mon arrivée.

D'ailleurs le manque d'activité, le manque d'air, le manque de liberté me faisaient cruellement souffrir. J'éprouvais le même sentiment d'enfermement qu'à Saint-Cyr en plus fort, car, là-bas au moins, je recevais l'instruction, j'avais des amies pour bavarder et j'ignorais la solitude. À Saint-Malo, je n'existais pas... ou si peu. Ma mère convenait seulement que j'étais une bonne garde-malade.

— Ainsi, décréta-t-elle un jour, vous n'aurez pas quitté Saint-Cyr inutilement. Nous n'aurions pas eu les moyens de nous offrir les services d'une personne extérieure à la famille pour s'occuper de votre père. C'est une façon pour vous de payer votre entretien.

Je me raidis. Pourquoi devais-je travailler pour subvenir à mes besoins quand Bertille disposait de tout gracieusement ? Je ne lui posai pas la question. J'en connaissais la réponse. Ma mère ne m'aimait pas.

Ce mercredi-là, j'avais eu mon content de peine et d'humiliation. Le soleil brillait, les oiseaux chantaient et j'avais des fourmis dans les pieds.

Bertille était venue dans ma chambre me faire admirer la nouvelle robe de soie bleue que le drapier lui avait confectionnée et elle m'avait dit en faisant la moue :

— Je vais aller jouer à la demoiselle de qualité en mangeant des sucreries... C'est d'un ennui... mortel !

J'éclatai de rire et je répliquai :

— Et rester enfermée depuis des semaines, vous jugez cela plus amusant ?

— Oh, non, excusez-moi. Mère est dure avec vous... mais je n'ose lui parler en votre faveur... sans risquer de la fâcher à mon égard.

— Je comprends et ne vous demande rien... sauf de tenir votre langue sur nos lectures et... le reste.

— Quel reste ?

— Ce jour d'hui, je vais sortir.

— C'est prendre le risque que quelqu'un vous voie et qu'il en informe mère.

— J'ai une idée pour ne pas être reconnue.

— Et vous ne voulez pas me la révéler parce que... vous n'avez pas confiance ?

Je lui caressai la joue.

— Je sais, à présent, que vous ne me trahirez pas... mais je préfère ne rien dire avant pour éviter que le mauvais sort ne s'en mêle.

— J'espère que vous réussirez, car vous avez largement mérité quelques heures de liberté.

— Bertille ! appela notre mère du rez-de-chaussée, ne vous mettez pas en retard !

— J'arrive ! cria ma sœur.

Elle sortit de ma chambre en trombe. Une douce odeur de muguet flotta quelques instants dans la pièce. Je souris. Nous étions différentes et, pourtant, je sentais, au fil des jours, que nous nous attachions l'une à l'autre. C'était pour moi une agréable découverte, car, dans le passé, j'étais tout à fait persuadée que jamais elle et moi ne deviendrions amies.

CHAPITRE

# 8

Je me glissai dans l'antichambre de mon père. Dans un coffre, je pris une chemise de batiste, un pourpoint de daim noir, des bas. Sur une étagère, je m'emparai d'un chapeau et d'une paire de bottes. Puis je regagnai ma chambre silencieusement. Là, je me travestis en gentilhomme. Nouant mes cheveux d'un lien de velours, j'enfonçai le chapeau sur ma tête. Je me regardai dans le miroir de Venise placé entre les deux fenêtres et je me plus. Je n'étais plus une demoiselle disgracieuse : le nez un peu fort, la bouche trop grande, la gorge plate, les bras maigres. J'étais un garçon agréable, glabre, les attaches fines, la chevelure opulente. Je me souris.

C'était moi et ce n'était pas vraiment moi. Cette double image me satisfaisait.

Afin de tester ma transformation, je me rendis à la cuisine.

Mariette, rouge, échevelée, sortait du four des galettes au beurre dont l'odeur me rappela mon enfance. Rose confectionnait les mêmes autrefois et m'en gardait toujours trois ou quatre dont je me régalais.

Lorsque Mariette se retourna, elle sursauta.

— Qui êtes-vous, monsieur, et comment êtes-vous entré ?

Par jeu, je déguisai ma voix et lui répondis :

— Je viens chercher une de ces délicieuses galettes.

Elle posa la plaque pleine de pâtisseries sur la pierre de l'évier, repoussa une mèche qui s'était échappée de son bonnet de linon et me dévisagea. Lorsqu'elle me reconnut, elle se brûla contre la plaque et poussa un cri de douleur. Elle suça son doigt et m'interrogea :

— Diantre, à quoi rime ce déguisement ?

— Je sors me promener.

— Serais-tu devenue folle ? Veux-tu être excommuniée [1] ?

1. Mettre hors de la communauté de l'Église catholique.

— Je ne suis pas encore folle, mais si je continue à demeurer enfermée, je vais le devenir. Et le seul moyen que j'aie de sortir, c'est de changer d'aspect afin que, selon le vœu de ma mère, nul ne soupçonne à Saint-Malo qu'Henriette de Pusay est de retour.

— Je reconnais que ton existence n'est pas facile et que ta mère... enfin, elle a ses raisons...

Elle décollait avec application les galettes de la plaque et les posait délicatement dans une corbeille en osier pour qu'elles refroidissent. Je la brusquai :

— Je compte sur toi, Mariette, pour être aussi silencieuse qu'une tombe.

— Sûr. Pourtant, si monsieur le curé l'apprend, il... c'est que je suis une bonne chrétienne, moi, et...

— Pourquoi voudrais-tu qu'il l'apprenne !

— Il y a des mauvaises langues partout.

— Je serai prudente. Je ne parlerai à personne. Il faut absolument que je respire l'air de la mer, que je sente le vent me fouetter le visage, tu comprends ?

— Seigneur ! J'avais cru que Saint-Cyr avait fait de toi une demoiselle sage et pieuse.

— Eh bien, c'est manqué !

Avant qu'elle ne me retienne, je quittai la cuisine en empruntant la petite porte donnant sur l'arrière de la maison et qui débouchait à quelques pas de l'écurie. Raymond y était, assoupi sur une botte de paille. Je toussotai. Il se redressa d'un bond et, une main en visière devant ses yeux, il essaya de deviner qui était face à lui, car j'étais à contre-jour. Comme j'avais assez perdu de temps, je le lui annonçai sans détour :

— C'est moi, Henriette. Inutile de me faire la morale, Mariette s'y est déjà employée sans succès. Selle-moi un cheval.

Raymond fut si interloqué par ma transformation qu'il ne pipa mot et s'empressa de sortir un cheval de son box et de le harnacher.

— Il se nomme Flamme, me dit-il en croisant ses mains sous les étriers pour que je puisse plus commodément m'installer sur ma monture. Il n'est plus tout jeune. C'était le favori de votre père... à présent, plus personne ne le monte.

— À partir de ce jour d'hui, je le monterai dès que possible.

Il resta muet, mais je le vis se signer juste avant que j'éperonne pour quitter l'arrière-cour.

Je retrouvai instinctivement la bonne posture et c'est ivre de joie que je piquai des deux [1] pour accélérer l'allure de mon cheval. Il y avait plus de six ans que je n'avais pas éprouvé ce sentiment de liberté. Je me dirigeai vers l'océan et je galopai sur la grève à l'endroit où viennent mourir les vagues,

1. Appuyer les deux étriers contre le flanc de l'animal pour le mettre au trot.

pour humer l'odeur de la mer, sentir le vent et les embruns sur mon visage. Dieu que c'était bon ! J'avais l'impression que cet air pur me rendait à la vie. À la vraie vie.

J'allai ensuite sur le port pour admirer les vaisseaux. J'y restai une bonne heure à regarder le déchargement d'un navire venant de l'Orient et dont les cales regorgeaient d'épices, de soieries et de porcelaines. Ce sont les cloches de l'église qui, sonnant cinq coups, me ramenèrent à la réalité.

Je caracolai à bride abattue en direction de la maison. J'avais repéré dans le fond du parc un trou dans le mur de clôture. Je descendis de cheval et je guidai l'animal dans l'anfractuosité. J'avais enfoncé mon chapeau jusqu'à mes yeux : si, par malheur, on me questionnait, je pourrais imiter l'accent des gens de notre terre, et me faire ainsi passer pour un commis de ferme ramenant le cheval du maître des lieux à l'écurie.

La fortune [1] fut avec moi. Je ne rencontrai personne. À l'écurie, je remis Flamme à Raymond, puis je pénétrai dans la cuisine où Mariette s'occupait à préparer le souper [2]. Je l'embrassai tendrement en lui assurant :

— Mariette, j'ai vécu un moment merveilleux !

1. Chance.

2. Au XVIII$^{e}$ siècle, on dînait vers midi et on soupait vers huit heures du soir.

— Tant mieux, ma douce, mais il est tard. Les invitées de ta mère sont parties et tu risques de la croiser en montant dans ta chambre... et si elle te voit ainsi, ce sera terrible !

— C'est que je n'ai pas vu le temps passer.

— Cache-toi dans le garde-manger pour le cas où ta mère viendrait m'entretenir de la composition du repas, je vais chercher tes vêtements.

Elle reparut bientôt, mes habits cachés dans une corbeille de linge.

— Change-toi vite et remonte dans ta chambre pour te coiffer. Ta mère va encore te gronder si tu n'es pas mise selon son goût.

— Oh, de toute façon, quoi que je fasse, elle ne sera pas contente. Ce soir, sa mauvaise humeur ne parviendra pas à ternir ma joie.

— Vrai, je suis contente que tu aies retrouvé le plaisir de vivre ! s'enthousiasma Mariette.

Au souper, ma mère remarqua :

— Vous voilà aussi rouge qu'un coquelicot !

Je ne me démontai point et lui répondis avec aplomb :

— Je reviens de la cuisine où j'ai aidé Mariette à préparer le potage. Je suis sans doute restée trop longtemps devant la cheminée.

— Vous avez raison de vous rendre utile, sinon...

Elle ne termina pas sa phrase. Peut-être voulait-elle dire que j'étais un poids dans cette maison, sauf si je jouais le rôle d'une domestique sans gages.

Bertille m'adressa un clin d'œil discret. Je lui souris. Il me fut agréable de voir qu'elle était, dorénavant, dans mon camp.

Depuis ce fameux jour, ma vie à Saint-Malo prit un tour nouveau... Et encore, je n'étais pas au bout de mes surprises !

# CHAPITRE

# 9

J'attendais, à présent, le mercredi après-dîner avec impatience.

Je sortais par tous les temps et je revenais souvent trempée et crottée ou cuite par le soleil, car je sortais sans masque, comptant sur la protection du chapeau de mon père. Ces instants de liberté m'étaient devenus indispensables.

Au retour, je contais par le menu ce que j'avais fait et vu à Bertille. Pour elle qui ne quittait pas notre demeure sauf pour assister à la messe avec notre mère ou pour rendre visite à quelques dames des alentours, mes chevauchées solitaires prenaient l'allure d'aventures. Elle enviait ma liberté tout en m'avouant que courir les chemins vêtue en garçon était au-dessus de ses forces.

Petit à petit, je devins pour elle une sorte d'héroïne.

Lorsque notre mère s'étonnait de me voir le teint vif et la chevelure en désordre, Bertille inventait une histoire pour me défendre. Ma mère la croyait, car il ne lui serait pas venu à l'esprit que sa fille préférée puisse lui mentir.

Et puis, un après-dîner, l'incroyable se produisit.

Il faisait beau, le vent qui avait soufflé dans la matinée avait chassé tous les nuages, et je décidai de profiter du ciel dégagé pour monter sur les remparts renforcés depuis peu par Vauban [1], afin de voir l'entrée dans le port d'un galion [2] qui était annoncé. C'est toujours un spectacle que d'assister aux manœuvres des pilotes qui doivent se faufiler entre les îlots pour pénétrer dans la passe sans endommager leur vaisseau.

Je n'étais point seule. Des matelots, des bourgeois et leurs dames, des gens de la ville basse étaient aussi venus assister à l'arrivée du navire.

— C'est *La Conquérante,* affirma un jeune homme. Elle arrive de Saint-Domingue les cales pleines de canne à sucre et de tabac.

1. Vauban (1633-1707) fut nommé commissaire général des fortifications à 45 ans.
2. Grand navire destiné au commerce.

Cette voix. Je connaissais cette voix. Mon cœur s'emballa, mes jambes mollirent. Je me retournai. Je vis un gentilhomme fort bien vêtu. Il n'avait plus rien du gamin effronté, batailleur, hirsute et débraillé de notre enfance. Pourtant, je l'aurais reconnu entre mille. C'était lui : Luc-Henri.

Il m'aperçut aussi, hésita à me reconnaître dans mes habits masculins, s'approcha et m'interrogea :

— Henriette ?

J'étais si émue de le rencontrer que mes forces s'envolèrent et je soufflai faiblement :

— Oui.

— Que faites-vous dans cet accoutrement ? Grand Dieu ! Ne me dites pas que vous vous êtes enfuie de Saint-Cyr ?

— Non point. Mon père m'a rappelée auprès de lui.

— J'ai su le malheur qui l'a frappé. Hélas ! je n'ai pu venir le réconforter. Mon père...

Il ne termina pas sa phrase, soupira, garda un moment le silence, puis enchaîna :

— Pourquoi donc ce déguisement ?

— Ma mère m'interdit de sortir et...

À mon tour je ne poursuivis pas. Luc-Henri, qui avait partagé une partie de mon enfance, connaissait l'animosité de ma mère à mon égard. Il était inutile que je la lui rappelle. Il posa une main compatissante sur mon épaule et je manquai défaillir de bonheur. À cet instant, il me sembla que tout était possible. Il allait m'annoncer qu'il m'aimait, qu'il rêvait de m'épouser.

Le temps s'arrêta.

Je baissai modestement la tête en attendant qu'il me parle, car j'avais envie de le dévorer des yeux et envie aussi de sentir ses bras m'entourer.

Un bruit de pas et le crissement d'une étoffe de soie me tirèrent de ma rêverie. Je levai les yeux. Une femme, le visage fardé protégé par une ombrelle de dentelle, était devant nous. Je ne l'avais point encore remarquée parmi les badauds qui scrutaient l'horizon. Elle m'ignora et s'adressa à mon cousin.

— Venez, Luc-Henri, le vent se lève et j'ai froid.

Il n'y avait pas un souffle d'air, mais il prit son bras et répondit :

— Oui, ma mie, rentrons.

Ce « ma mie » me laboura le cœur.

J'observai à la dérobée la femme qui s'appuyait à son bras. Elle n'était pas jeune ni même jolie, mais fort richement vêtue. À dire vrai, elle aurait pu être ma mère ou celle de Luc-Henri.

Je crus avoir mal entendu. Il était impossible que Luc-Henri donne du « ma mie » à une dame d'un âge aussi... avancé. À moins qu'il ne s'agisse d'une vieille tante... ou d'une amie de sa mère défunte qui, l'ayant pris en amitié, subvenait à ses besoins alors que son père l'avait chassé.

Se souvenant alors que nous n'avions point été présentés, Luc-Henri s'acquitta de cette tâche :

— Ma chère, dit-il à sa compagne, je vous présente Henriette de Pusay, ma cousine. (Puis se penchant vers elle, il lui murmura à l'oreille :) Ne prenez pas ombrage de son déguisement, c'est qu'elle a, elle aussi, quelques soucis avec sa famille.

Seigneur ! J'avais oublié que j'étais vêtue en homme. C'était contraire aux préceptes de la religion, et si cette dame le voulait, elle pouvait, en poussant seulement un cri d'effroi, me conduire en prison et me faire excommunier. J'étais si humiliée et si angoissée que j'aurais voulu disparaître sur l'heure.

Elle fit simplement la moue comme si j'étais une gamine insolente. Puisque cette dame était visiblement plus âgée que moi, j'inclinai poliment la tête.

— Henriette, je vous présente Mme de Chamoiseau, annonça Luc-Henri.

Pour faire bonne figure, je bredouillai :

— Je suis enchantée de faire votre connaissance, madame.

Je n'en pensais pas un mot. J'aurais préféré ne jamais la rencontrer, car je sentais confusément qu'elle allait m'occasionner de nombreux tourments.

— Voulez-vous venir demain prendre un chocolat ? Vous me conterez votre vie à Saint-Cyr, me proposa Luc-Henri.

Il parlait comme un parfait homme du monde et c'était assez étonnant, car je gardais de lui le souvenir d'un garçon vif, impétueux, ne s'embarrassant pas de formules de politesse.

— Si ma mère me le permet, bredouillai-je.

— Elle est la bienvenue, elle aussi, ajouta mon cousin, mais je crains que cette invitation ne lui déplaise et...

— N'insistez pas, Luc-Henri, coupa Mme de Chamoiseau, vous importunez cette... cette demoiselle. Venez. À piétiner ainsi, le froid va me saisir.

Il lui offrit son bras et je remarquai qu'elle forçait son pas pour l'obliger à s'éloigner vitement de moi. Il se retourna néanmoins et me lança :

— À bientôt !

J'étais si décontenancée qu'aucun son ne franchit mes lèvres. C'est fort marrie que je retrouvai ma monture, attachée au pied des remparts.

Heureusement, Flamme connaissait le chemin de la maison, car, perturbée, je ne le guidais point et laissais mon esprit vagabonder.

Qui était cette dame Chamoiseau ? L'une des nombreuses conquêtes dont m'avait parlé Mariette ? Une dame mariée devant cacher sa liaison avec Luc-Henri ? Une intrigante aimant se promener au bras d'un jeune et beau gentilhomme ? Curieusement, je n'arrivais pas à jeter la pierre à mon cousin. Je lui trouvais toutes les excuses possibles. Son père l'avait obligé à faire des études pour devenir prêtre et il se vengeait de ses années perdues en courtisant des femmes. Et puis, cette Chamoiseau n'était ni jeune ni belle, il ne pouvait pas s'être épris d'elle. Peut-être d'ailleurs n'était-il pour elle qu'une sorte d'homme de compagnie ?

Je rentrai à la maison la tête et le cœur à l'envers.

Je me couchai aussitôt, prétextant une grande fatigue. Mariette m'apporta un verre de lait que je ne touchai pas. Sitôt après le repas, Bertille vint prendre de mes nouvelles, mais je refusai de lui parler. Je n'aurais pas su lui expliquer mon désarroi.

Pendant plusieurs jours, une sorte de langueur m'empêcha de me lever. Je passais tout mon temps à ressasser mon malheur, à chercher des solutions pour ne plus souffrir, tantôt me persuadant que la mort serait plus douce que la vie, tantôt envisageant de fuir le plus loin possible de Saint-Malo.

Et puis, un matin, un oiseau posé sur une branche qui frôlait ma fenêtre chanta avec insistance.

Je l'écoutai. Il semblait me dire :

— Allez, viens, tu as toute la vie devant toi.

Je me levai et je m'habillai tandis que l'oiseau continuait à babiller. J'étais en train de me coiffer lorsqu'on toqua à ma porte. Je crus qu'il s'agissait de Bertille et, sans me détourner du miroir, je répondis :

— Entrez !

C'est l'image de Luc-Henri qui s'encadra dans le miroir. Je sursautai, ennuyée qu'il me surprît alors que mes cheveux étaient encore en désordre. Si j'avais pu prévoir sa visite, je me serais apprêtée pour qu'il me trouvât désirable.

— Vous ici ! m'exclamai-je.

J'étais si heureuse qu'il se soit déplacé jusqu'à ma chambre que j'avais parlé fort.

— Plus bas, me gronda-t-il. Je viens déjà de supporter la colère de mon père, je ne tiens pas à ce que votre mère en rajoute.

— Vous avez vu votre père ?

Naïvement, j'avais imaginé qu'il était venu pour moi. Pour me voir, me parler, et m'expliquer sa conduite. Une vague de déception m'empourpra.

— Je lui ai annoncé qu'il ne devait plus être en souci pour mon établissement, car Mme de Chamoiseau consent à m'épouser.

— À vous épouser ? répétai-je suffoquée par cette nouvelle.

— Oui. Elle a longuement hésité et vient enfin d'accepter ma demande.

— Votre demande en... mariage ? insistai-je.

J'étais assommée. Mon cerveau refusait de comprendre les paroles prononcées par mon cousin. Il avait besoin d'explications et, en même temps, il redoutait de les entendre. Je devais avoir l'air idiote, car il éclata de rire.

— Parfaitement. Quoi de plus normal, à mon âge, que de me marier ?

— Avec Mme de Chamoiseau ?

— C'est un excellent parti. Elle est veuve, n'a pas d'enfants et elle est immensément riche ! Pour elle, j'ai abandonné ma vie dissolue. Je n'entre plus dans aucun tripot, je ne joue plus, je ne bois plus et je ne soulève plus aucun jupon !

— Mais, vous... vous l'aimez ?

— Qui vous parle d'amour ? J'assure mon existence. C'est déjà ce que souhaitait mon père en me proposant la prêtrise. Il n'ignorait pas que je n'avais pas la foi, mais entrer dans l'Église était une façon honorable de m'établir. Il juge au contraire déshonorant le mariage avec Mme de Chamoiseau.

— Vous... vous a-t-il donné son consentement ?

— Si fait. Je le lui ai arraché de haute lutte ! Il aurait été rageant de devoir attendre mes vingt-cinq ans [1] pour profiter des largesses de Mme de Chamoiseau

1. À cette époque, la majorité était à vingt-cinq ans. Et on ne pouvait se marier sans l'accord de ses parents avant sa majorité.

qui, afin de préserver sa dignité, ne veut rien me donner avant le mariage.

Son discours me mettait les nerfs à vif et je le coupai :

— Ainsi, vous ne l'aimez point et vous l'épousez pour... pour son argent.

— Que vous êtes attendrissante, ma chère Henriette ! Lorsqu'on n'a point de fortune personnelle, le mariage est une excellente solution ! Je vous la conseille donc vivement. Si par chance vous séduisez un gentilhomme fortuné, je...

— Taisez-vous ! criai-je, vous ne savez pas ce que vous dites !

Mon attaque le surprit et, me saisissant les mains, il s'adoucit :

— Voulez-vous me faire comprendre que vous aimez déjà un gentilhomme qui hélas ! n'a point de fortune ?

Baissant les yeux, j'avouai en espérant qu'il entendrait à demi-mot :

— C'est cela.

— Grand Dieu, c'est la pire des situations ! Aussi, je vous recommande de l'oublier au plus vite. Sans fortune, la vie est par trop insipide.

— Vous préférez donc le luxe à... l'amour ?

Je rougis de ma hardiesse à lui poser cette question, mais je ne faiblis pas. Je voulais connaître le fond de sa pensée.

— Mille fois ! Je ne suis pas fait pour une existence parcimonieuse. Lorsque j'ai rencontré Simone, enfin Mme de Chamoiseau, je pensais embarquer sur un vaisseau corsaire. Mon père était aux anges !

— Vous n'avez point embarqué ?

— Non. L'existence des corsaires n'est pas de tout repos. Il faut batailler contre la mer, contre l'ennemi et risquer la mort pour des prises qui n'en valent pas toujours la peine !

— Enfant, n'était-ce pas ce qui nous faisait rêver, René, vous et moi ?

— Nous étions jeunes et fous. Le rêve n'est point la réalité. Je préfère devenir riche sans courir de risques.

Cette phrase cingla mes oreilles comme un coup de fouet.

— Vous me décevez, Luc-Henri.

— Je le regrette. Cependant, rien ne vous oblige à suivre mes préceptes. Et si vous aimez un gentilhomme qui n'a pas un sol, libre à vous de l'épouser et de vivre dans l'indigence.

— Cela ne me dérangerait pas, en effet.

— Je vois, ma chère Henriette, que nous ne partageons plus les mêmes idées. C'est que vous avez gardé votre âme d'enfant et que j'ai perdu la mienne au contact des dures réalités de l'existence.

— Il est fort triste de n'avoir plus d'idéal.

— Si vous êtes attirée par l'aventure, je vous cède ma place sur la galiote de René Trouin du Gué ! s'emporta-t-il.

— René Trouin du Gué [1] ? m'étonnai-je.

— Oui, il a eu quelques réussites comme corsaire et il s'est trouvé un nom plus noble maintenant qu'il est capitaine.

— Capitaine ? Mais il n'a que dix-huit ans !

Il y avait certainement de l'admiration dans ma voix. Luc-Henri l'ignora et poursuivit :

— Il a déjà failli laisser la vie dans plusieurs abordages et un naufrage, mais rien n'arrête ce fichu homme ! Il est encore venu me relancer hier pour que j'embarque. Il vient d'obtenir une lettre de marque [2] et il cherche des volontaires pour *Le Profond*, une flûte [3] de quatre cents tonneaux pourvue de trente-deux canons. Mais je doute que ce soit la place d'une demoiselle.

Sa dernière phrase me piqua au vif. Croyait-il que j'étais une faible donzelle, de celles qui se morfondent en attendant un mari ? De toute façon, le seul époux qui m'aurait convenu, c'était lui... et il allait en épouser une autre. Alors...

1. René Trouin ajouta à son nom celui du hameau où il avait été mis en nourrice afin de se différencier de son frère qui avait pris le titre de Trouin de la Barbinais. Plus tard, il se fit appeler René Duguay-Trouin.

2. La lettre de marque ou lettre de course est un document officiel autorisant le corsaire à courir contre tout ennemi déclaré du souverain qui la signe.

3. Navire de guerre qui transporte le matériel.

— C'est ce que nous verrons ! lui répondis-je.
J'avais envie de le blesser et en même temps de lui montrer que je valais mieux que lui.
Nous nous quittâmes fâchés.

## CHAPITRE

# 10

Luc-Henri venait de briser ma vie. Car j'étais persuadée que ma vie était avec lui.

Je retins mes pleurs jusqu'à ce que le bruit de ses pas ne me parvienne plus, mais sitôt le silence revenu, les larmes ruisselèrent sur mes joues.

Ne s'était-il donc pas rendu compte du mal qu'il me faisait ? Ne s'était-il jamais aperçu du tendre sentiment qui me portait vers lui ? À dire vrai, je l'avais soigneusement caché comme la bienséance me le commandait... J'aurais peut-être dû, sans me conduire comme une gourgandine, lui laisser deviner un peu de mon attachement... Maintenant, j'étais bien avancée ! Le cruel en épousait une autre...

J'avais si fort espéré qu'il serait mon mari. J'avais si fort espéré qu'il ferait fi de ma dot et qu'il m'épouserait par tendresse si ce n'était par amour. Moi, je l'aurais tant aimé qu'à la longue il n'aurait pas résisté à la flamme qui me consumait et que la passion se serait éveillée en lui.

À présent, c'était cette Simone de Chamoiseau qui se pavanerait à son bras !

Mes pleurs redoublèrent.

À quoi bon vivre. Ne venait-il pas de me proposer de partir sur la mer à sa place ? N'était-ce pas l'aveu même qu'il ne pouvait me supporter et qu'il envisageait mon départ, peut-être ma mort, sans regret ?

Ma première idée fut de rester.

Oui, j'allais rester. M'imposer. Le harceler jusqu'à ce qu'il oublie cette dame Chamoiseau et qu'il s'aperçoive enfin de mon existence en tant que femme et non comme l'amie d'enfance avec laquelle il jouait.

Et puis mon orgueil se rebella.

Je me mouchai, séchai mes larmes et je lançai à haute voix :

— Ah, non, alors, je ne m'abaisserai pas devant lui et, puisqu'il veut que je parte, je partirai.

Je réfléchis toute la nuit.

Au matin, je ne tergiversais plus. Rien ne me retenait à Saint-Malo.

Ma mère ne m'aimait pas et voulait me cacher aux yeux de tous.

Bertille se marierait et quitterait la maison.

La seule personne qu'il me coûtât d'abandonner était mon père. Et encore, il me parut que, en prenant sur un vaisseau corsaire la place du fils qu'il n'avait pas eu, je lui ferais plaisir, et si la fortune voulait que je lui revienne riche et couverte de gloire, je lui rendrais un peu de l'honneur qu'il avait perdu en étant vaincu à la Hougue.

J'avais très envie de l'informer de ma décision. Cependant, je craignais qu'il ne me retînt sous le prétexte que j'étais fille, aussi me parut-il préférable de garder le secret. J'allai, cependant, bavarder une dernière fois avec lui et la conversation que nous eûmes me conforta dans mon choix.

— Ah, mon enfant, me dit-il, quelle tristesse pour un homme aussi vaillant que moi d'être cloué dans un lit sans pouvoir servir son roi.

— Vous l'avez déjà largement servi.

— Non point. Nous avons perdu nos vaisseaux et notre honneur dans cette abominable bataille... et cela, jamais je ne me le pardonnerai et le roi sans doute ne me le pardonne pas non plus.

Il soupira et ajouta :

— Si encore j'avais un fils. Il aurait servi Sa Majesté et vengé mon honneur... La vie m'est insupportable avec ce fardeau.

Alors, pour le soulager, je lui annonçai :

— Père, bientôt je vous rendrai votre honneur et votre fortune.

Il plongea son regard dans le mien et, se redressant sur ses oreillers, me demanda d'une voix enfiévrée :

— Est-ce que votre mère aurait un parti en vue pour vous ? S'il s'agit d'un barbon riche et vicieux, je vous ordonne de refuser ! Je ne veux pas devoir ma réhabilitation au sacrifice de votre jeunesse.

Je le rassurai :

— Non, père, il ne s'agit point de cela.

— Je ne vois pourtant pas d'autre solution, lâcha-t-il en se laissant retomber sur les carreaux de plumes lui calant le dos.

— J'en trouverai une, assurai-je.

Il était las et ne chercha pas à en savoir plus. Cela m'arrangeait. J'eus l'audace de lui poser un baiser sur le front parce que j'avais besoin d'un peu de tendresse avant le départ. Il esquissa un sourire et souffla :

— Bien que vous ne soyez pas un garçon, c'est de vous, Henriette, que me vient tout mon bonheur.

Sa phrase me stimula et je lui répondis :

— J'espère qu'un jour vous serez fier de moi.

Après quoi je quittai sa chambre.

Comme nous étions mercredi, j'attendis que ma sœur et Mariette soient occupées par la réception de quelques dames et je revêtis mes vêtements masculins. Je passai ensuite par la porte de service et je me glissai hors de la maison. Arrivée à la brèche du mur, je me retournai, émue. Je levai les yeux vers la fenêtre de la chambre où mon père reposait, puis je tentai d'apercevoir entre les tentures du salon la silhouette de Bertille. Il me coûtait de partir ainsi comme une voleuse, mais comment faire autrement ? Personne, pas même elle, ne pouvait me comprendre.

De toutes les manières, ma mère ferait un esclandre lorsqu'elle apprendrait mon départ. Peut-être même lancerait-elle à mes trousses la police du roi afin que je sois punie pour ma désobéissance. Et cette punition, je savais que ce serait la prison pour les filles de mauvaise vie... celle-là même où devait être enfermée la malheureuse Gertrude.

J'avais donc le cœur déchiré, car je savais qu'en franchissant l'enclos du parc, il me serait impossible de revenir, sauf si Dieu, après m'avoir donné la force d'affronter l'océan, faisait de moi un corsaire couvert de gloire et de richesse. Dans ce cas seulement, j'aurais le droit de me présenter à la porte.

Un instant, je chancelai. N'étais-je pas trop orgueilleuse ? Aurais-je assez de courage pour atteindre ce but ? Est-ce que ma constitution de fille ne serait pas un obstacle ?

Des larmes se glissèrent sous mes paupières, je les essuyai d'un revers de main rageur.

Ce n'était pas le moment de flancher. Je partis à pied en direction de la ville.

Je devais trouver René Trouin ou au moins son lieutenant chargé de recruter l'équipage. Pour cela, il faudrait entrer dans les tavernes et les tripots du port. C'était là que les engagements s'effectuaient. René me l'avait appris lorsque, enfants, nous traînions sur les quais.

Une pluie fine et perçante m'avait déjà trempée jusqu'aux os lorsque j'atteignis la porte Saint-Thomas.

Je traversai la ville en direction du port et j'entrai à l'auberge de *La Pie qui boit*. Dix ans plus tôt, c'était en face de la porte que nous nous asseyions pour surprendre les conversations des marins qui en sortaient en titubant. Il y était question de pays lointains, de batailles navales ou de prises mirifiques de vaisseaux ennemis.

J'hésitai quelques secondes, puis, le chapeau à large bord de mon père enfoncé jusqu'au front, je poussai la porte. C'était la première fois que je pénétrais dans ce genre d'établissement. Curieusement, je pensais aux dames de Saint-Cyr qui avaient assuré mon éducation. J'avais un peu l'impression de les trahir. Elles nous avaient préparées à être des femmes dociles et soumises à leur mari ou à être des religieuses au service de Dieu et ce n'est pas ce destin que j'avais choisi.

L'air empestait l'alcool, le tabac, le graillon, le rance. Je toussai. Pourtant si je voulais naviguer, ce détail ne devait pas m'arrêter.

Je me faufilai parmi les buveurs. Certains étaient déjà affalés sur les tables, d'autres ronflaient. Dans le fond de la salle, une discussion animée était menée par un homme en jaquette bleue : certainement un recruteur. Je préparai une belle fable susceptible de me faire engager puis, lorsque deux hommes eurent topé dans la main de l'officier, je m'approchai.

— Tu cherches un embarquement ? me lança ce dernier.

— Ça se pourrait.

— Tu as déjà navigué ?

— Oui-da. J'étais sur *Le Magnifique* lors de la tristement célèbre bataille de la Hougue.

— Ah, la Hougue... faut plus prononcer ce mot, il porte malheur, soupira-t-il avant d'ajouter : *Le Magnifique* n'était-il pas armé par le sieur de Pusay ?

Puisque l'occasion de porter fièrement mon nom se présentait, je répondis avec assurance.

— C'est mon père. Je m'appelle Henri de Pusay.

— Ah, curieux qu'il ne t'ait pas accompagné ou remis une lettre de recommandation, me dit l'officier un rien méfiant.

— Il a été gravement blessé. Il a laissé ses deux jambes à la... heu, là-bas, et n'a plus toute sa tête.

— La mer est cruelle parfois... mais pour le roi, nous devons être prêts à tous les sacrifices.

— C'est pour cela que je m'engage. Pour servir à la place de mon père.

— Parfait. Et en hommage à ton père qui s'est vaillamment battu, je t'engage comme enseigne [1]. Tu verras, *Le Profond* est un superbe vaisseau. René Trouin du Gué est notre capitaine, notre second est La Jaunaie, nous avons cinq lieutenants dont je suis, et tu seras le sixième enseigne. Nous avons aussi soixante-cinq sous-officiers, un aumônier bien sûr, deux chirurgiens, un écrivain, cent seize matelots, quatorze mousses que je viens de recruter, quinze soldats du roi et trente jeunes volontaires.

Impressionnée par cette longue liste, je cherchai un terme qui me rendrait crédible comme marin. Je n'en avais point appris à Saint-Cyr mais, dans le fond de ma mémoire, je gardais quelques mots entendus dans ma jeunesse.

1. Sous-lieutenant.

— Pardieu ! jurai-je, on doit avoir plaisir à naviguer sur un si beau bâtiment !

— Tu l'as dit. Et je suis sûr que notre capitaine sera heureux de ta venue à bord.

Je signai mon engagement et il me remit une avance pour me permettre de m'acheter un habit.

— On embarque dans deux jours, me dit-il après m'avoir serré la main.

Je quittai aussitôt la taverne. La pluie avait cessé et je me dirigeai vers la grève où je m'assis sur un rocher. Je portai mon regard vers l'horizon brumeux. Bientôt, la mer allait m'emporter loin d'ici, loin de Luc-Henri qui ne m'aimait point, loin de ma mère qui ne m'aimait point non plus. En un mot loin de mes soucis. J'étais persuadée qu'un meilleur avenir m'attendait ailleurs qu'à Saint-Malo. Pour l'heure, il me paraissait que si je parvenais à oublier Luc-Henri et ma mère, mon existence serait plus douce.

Pour ne pas perdre courage, je refusais de penser à la dure existence des marins. Pourtant, de temps en temps, des phrases terribles se formaient dans mon esprit : « Tu n'es qu'une demoiselle. Comment feras-tu dans cet univers masculin ? Auras-tu la force de travailler comme un homme ? Ne va-t-on pas découvrir ta véritable identité ? Et si on la découvre, comment réagiront les marins ? En attentant à ta vertu ou en te précipitant par-dessus bord ? »

La cloche Noguette tinta neuf coups. J'avais faim. Dans une baraque accolée aux remparts, j'achetai un morceau de pain noir et je le mâchai lentement. Puis je me mis en quête d'un abri pour la nuit. Il était inutile que j'aille sur la grève. La nuit, les dogues [1] y étaient lâchés, prêts à déchirer de leurs crocs quiconque aurait l'intention de pénétrer en ville par la mer.

Loger dans une auberge était risqué. C'était le premier lieu qu'inspecteraient les gens d'armes si ma mère les prévenait de mon escapade.

Fort heureusement, des barques de pêcheurs étaient amarrées le long du Vieux-Quai. Enfants, c'est là que René, Luc-Henri et moi venions jouer aux corsaires. Je me blottis dans l'une de ces embarcations qui sentaient le poisson et la poix fraîchement passée sur le bois.

L'humidité, l'angoisse et une multitude de questions qui tournaient et retournaient dans ma tête m'empêchèrent de m'endormir : que s'était-il passé à la maison lorsqu'on s'était aperçu de mon départ ? Bertille avait-elle pleuré ? Mon père s'était-il inquiété pour moi ? Ma mère s'était-elle fâchée ? Avait-elle tempêté, appelé les gens d'armes ? Ou alors, indifférente à mon sort, s'était-elle contentée de marmonner d'une voix pincée : « Eh bien,

1. Gros chiens d'Angleterre (mot qui vient de *dog*, « chien » en anglais).

puisqu'elle a voulu partir, n'en parlons plus ! » Et Luc-Henri, comment réagirait-il lorsqu'il apprendrait mon départ ? Serait-il triste ? Imaginerait-il seulement que j'aie pu m'embarquer pour réaliser le rêve de notre enfance ? Éprouverait-il un peu de honte à avoir choisi la sécurité plutôt que l'aventure ?

La nuit fut atrocement longue et je me demandais si, comme me l'avait affirmé Luc-Henri, je n'étais pas folle. Assurément, devenir corsaire n'était pas pour une demoiselle. Demain, je regagnerais la maison où je retrouverais mon lit douillet et les repas chauds de Mariette. Et tant pis, après tout, si j'épousais un vieux barbon ou si j'entrais dans un couvent. C'était le sort réservé aux filles et je n'étais pas seule à le subir !

# CHAPITRE

# 11

J'avais finalement dû m'assoupir, car c'est la caresse d'un rayon de soleil tiède sur ma joue qui me réveilla. La pluie avait cessé. Je m'étirai et sortis vitement de ma cachette. Le port était déjà en activité.

Des charrettes déversaient des cargaisons de viande séchée, d'herbes, de volailles en cage. Des hommes roulaient d'énormes barils d'eau, de vin, d'alcool. Des mousses entassaient des cordages sur le quai, d'autres, montés dans les gréements des vaisseaux, s'interpellaient, riaient, s'invectivaient, d'autres encore balançaient de grands seaux d'eau sur le pont qu'ils lavaient avec application.

Je m'approchai d'une flûte [1] pourvue d'une belle mâture de quatre mâts avec leurs dix vergues en croix, les sabords peints en rouge.

— C'est-y pas un beau vaisseau ? me demanda un garçon qui venait de se glisser à mon côté.

— Si fait, répondis-je en baissant la tête.

— C'est *Le Profond*. Il jauge quatre cents tonneaux et il a trente-deux canons. Son armateur, c'est le seigneur des Clouzeaux, et le capitaine c'est le sieur Trouin. Il part en course demain pour servir le roi de France. Sûr qu'on va faire de belles prises !

J'approuvai en grognant *hon, hon !* Le garçon était si enthousiaste qu'il ne me tint pas rigueur de ma réserve et poursuivit :

— J'y embarque demain comme chef des mousses. Regarde, j'ai déjà le sifflet ! Et celui qui ne filera pas droit aura affaire à moi ! Tu es mousse toi aussi ?

J'étais gênée de lui annoncer que j'étais enseigne et que je n'avais pas obtenu ce poste par ma vaillance ni par mes années de service dans la marine, mais seulement parce que mon père était un officier blessé à la Hougue. Je lâchai un laconique :

— Non.

1. Vaisseau peu maniable.

Et je m'éloignai.

Depuis que j'admirais *Le Profond,* mon désir de regagner la maison s'était envolé et l'envie de partir venait de me reprendre.

Je me dirigeai vers une boutique de hardes [1] de marins installée dans une ruelle débouchant sur le port. Le commerçant, voyant mon inexpérience, me conseilla d'acquérir deux vestes, quatre chemises, trois culottes, trois paires de bas de laine, un chapeau et une couverture.

— C'est l'équipement normal pour un enseigne, m'annonça-t-il.

Parlant le moins possible, j'essayais toujours de prendre une voix grave et lente. J'étais sans doute habile dans la comédie, car je ne pense pas qu'il devinât que je n'étais point un garçon. Malgré moi, un sourire m'échappa, il est vrai que dans *Esther,* la pièce que nous avions jouée à Saint-Cyr [2], j'avais déjà interprété un rôle masculin... mais ce n'était que du théâtre.

Je quittai la boutique vêtue de neuf avec seulement dix sols dans le fond de ma poche.

Je m'éloignai du port, par crainte de tomber nez à nez avec René qui, s'il m'avait reconnue, aurait pu refuser de m'embarquer. Mon but était d'éviter

1. Vêtements.
2. Voir *Les Comédiennes de monsieur Racine.*

de le croiser avant que nous soyons au large. Là, même s'il me reconnaissait, il serait obligé de m'accepter à moins de me jeter par-dessus bord !

Habituellement, les marins vont fêter leur embarquement dans les tripots du port. Mais il ne me serait pas venu à l'idée de franchir le seuil d'un de ces établissements pour me divertir. J'optai donc pour la grève.

Je m'exerçai à parler d'une voix grave, à marcher de façon plus raide, plus rude. J'essayai de me souvenir de quelques phrases de patois prononcées par le cocher de chez nous. Je lançai au ciel des injures. En un mot je m'efforçai de désapprendre les bonnes manières que l'on m'avait enseignées à Saint-Cyr. J'eus autant de difficulté à les désapprendre que j'en avais eu à les acquérir.

Je marchai sans but précis, le regard tourné vers l'immensité de l'océan, en me disant que bientôt il me porterait loin d'ici. Cette nouvelle vie qui m'attendait m'attirait et m'effrayait. N'étais-je pas trop orgueilleuse à m'imaginer que j'allais revenir couverte d'honneur et de richesse ? N'allais-je pas au contraire compromettre ma dignité et ma vertu dans cet univers d'hommes ? J'arrivai bientôt à proximité de grottes creusées dans la roche. Je les reconnus. Enfants, nous y venions souvent, René, Luc-Henri et moi. Je m'y retirai, et, épuisée par une nuit sans sommeil, je m'y endormis.

Au matin, je franchis la Grand'porte donnant accès au port, non sans saluer fort respectueusement la statue de la Vierge qui protège les marins. Je la suppliai de veiller sur moi. Il me parut que j'en avais encore plus besoin que n'importe quel homme qui prenait la mer. Son sourire bienveillant me rassura un peu.

Je me présentai devant la passerelle du *Profond,* mon chapeau sur la tête, mon sac sur le dos et ma feuille d'engagement à la main. L'officier pointa mon nom sur son registre et je montai à bord. Le hasard voulut que mon hamac soit à côté de celui d'un maître d'armes de Paris qui avait été engagé pour maintenir en forme les officiers. Il se nommait Basile de Bournonville.

— Et vous ? m'interrogea-t-il.

— Henri de Pusay, je suis originaire de Saint-Malo.

— Alors, la mer n'a point de secret pour vous.

— Certes.

— C'est la première fois que je monte sur un vaisseau, m'assura-t-il, et j'espère avoir le pied marin... sinon je vais rendre tripes et boyaux et ce n'est guère agréable.

Je souris. Ce gentilhomme n'était pas imbu de sa personne et cela me plut.

Le vaisseau se peupla rapidement. Bientôt, il me parut ne plus contenir un pouce de libre. Partout se pressaient des mousses, leur bonnet rouge sur la tête, des marins, des militaires, des officiers. On riait, s'apostrophait, jurait, se bousculait ou se faisait des politesses en abaissant son chapeau. Je gardais le mien bien vissé sur mon crâne et j'évitais de me mêler aux autres.

Soudain, un strident coup de sifflet retentit. Tout le monde monta sur le pont. Je suivis.

Debout sur le tillac, un homme jeune, de belle allure, la veste brodée d'or, le chapeau à plume à la main, nous regardait. Je le reconnus immédiatement, bien que ne l'ayant plus vu depuis six ans : c'était René Trouin.

Lorsqu'un semblant de silence se fit, il prit la parole d'une voix qui portait loin :

— Je suis votre capitaine. Nous naviguons pour le service de Sa Majesté. De bonnes prises nous attendent. Je compte sur votre courage pour courir sus à l'ennemi !

Les mousses ôtèrent leur bonnet, les hommes leur chapeau, et tous reprirent en chœur : « Sus à l'ennemi ! » C'était sans doute une des coutumes de la mer. Je criai comme les autres en gardant mon chapeau. Basile de Bournonville me donna un coup de coude dans les côtes pour me rappeler à l'ordre. Je fis alors semblant d'enlever mon chapeau et de le laisser choir, ce qui m'obligea à me baisser pour le ramasser. Lorsque je me relevai, l'équipage avait remis son couvre-chef, ce que je fis aussi. Personne n'avait eu le temps d'apercevoir mon visage.

— Ce que t'es maladroit, me souffla Basile.

— Ouais. C'est même mon surnom, affirmai-je.

Je pensais que cette menterie pourrait toujours me servir à me tirer de quelque faux pas.

Le vaisseau largua ses amarres et, profitant de la marée et de vents favorables, nous nous éloignâmes. Tandis que les gabiers montaient dans la mâture, que les mousses couraient sur le pont, que les ordres étaient aboyés par les contremaîtres, je m'accoudai au bastingage. Sur le quai, une foule s'était massée pour assister au départ du *Profond*. Il y avait des femmes venues saluer le départ de leur époux, de leur frère, de leur promis, de leur fils, des hommes du peuple en vareuse noire, et des gentilshommes. Des mouchoirs, des foulards, des chapeaux à plume s'agitèrent. Personne n'était là pour moi. Je ne laissais aucun être cher sur terre, et ma solitude me serra le cœur. J'étais bien prête à m'attendrir, lorsque, comme s'il avait deviné ma peine, Basile me posa une main sur l'épaule.

— C'est trop tard pour regretter. Maintenant, il faut aller de l'avant !

# CHAPITRE 12

Nous croisâmes trois mois entre Saint-Malo et Lisbonne sans faire la moindre prise.

L'inaction n'est jamais bonne. Après l'ennui, c'est la grogne et la colère qui s'emparèrent de l'équipage. On leur avait promis de glorieuses batailles où ils auraient pu dépenser leurs forces et montrer leur courage et leur détermination, de belles prises dont ils auraient eu leur part, et ils en étaient réduits à laver le pont, à graisser les canons, à vérifier voiles et cordages, à jouer aux cartes ou aux dés. Il ne se passait pas un jour sans qu'une bagarre éclate.

Et moi qui avais embarqué pour oublier la trahison de Luc-Henri et rendre honneur et richesse à mon père, avais-je fait le bon choix ?

Basile de Bournonville mit à profit le calme de la mer et l'absence d'ennemi pour donner à qui le souhaitait des cours de maniement des armes. La plupart des officiers refusèrent en assurant qu'ils étaient aussi doués que le professeur, mais les soldats embarqués avec nous y participèrent. Outre que René Trouin les avait largement encouragés à y assister, c'était aussi une façon d'occuper le temps.

J'étais son élève le plus assidu. Croiser le fer me vidait la tête de mes tracas. Contrairement à toute attente, j'étais à l'aise dans mes vêtements masculins, plus commodes pour manier l'épée que jupe et jupon. Comme j'avais peu de gorge (ce qui me désespérait en tant que femme), je n'avais rien à cacher sous ma chemise, et pour le reste, ma foi, je faisais un garçon maigre tout à fait correct.

Tous les matins, nous étions donc une quinzaine sur le gaillard d'avant, l'épée à la main, à nous battre en suivant les conseils du sieur de Bournonville.

Le premier jour, l'épée me tomba des mains lors d'une estocade. Six ans à Saint-Cyr avaient fait disparaître les muscles acquis pendant l'enfance.

— Eh, tu n'as pas plus de force dans les bras qu'une femmelette ! se moqua un volontaire.

Pendant mes nuits sans sommeil, j'avais mis au point une menterie en choisissant le parti du rire qui, à mon avis, était le meilleur moyen de me faire accepter par les autres.

— C'est que je n'ai pas l'habitude de me battre. Mon père voulait que j'entre dans les ordres et le goupillon est plus léger que l'épée.

— Pour sûr, ton existence sera moins tranquille, me lança un homme grand et fort.

— Mais beaucoup plus palpitante ! Cependant, chez les jésuites, j'ai manqué de maître d'armes. À présent, je me rattrape.

Et, curieusement, chacun voulut batailler contre moi. Les plus faibles parce qu'ils étaient certains de me battre. Les plus forts, amusés par mes bons mots, prenaient plaisir à me dégrossir et à m'enseigner quelques passes.

J'y appris beaucoup.

Je n'avais pas encore eu l'occasion de rencontrer René. Pourtant, quelques jours après le départ, il avait invité les officiers et les sous-officiers à sa table. Toute la journée, je cherchai un moyen d'éviter ce repas. Il me semblait que plus tard René s'apercevrait de ma présence, mieux cela serait. Et il était trop tôt.

C'est la mer qui me fournit le prétexte. Elle devint brusquement houleuse et l'estomac de Basile et le mien ne le supportèrent pas.

— Eh, ce n'est qu'un grain ! plaisanta un officier. Attendez au moins une véritable tempête pour être malades !

Il est vrai qu'à part nous personne ne souffrit du mal de mer. Cette situation plus comique que tragique créa entre Basile et moi un lien d'amitié précieux.

Le lendemain, un sous-officier nous assura que le repas offert par le capitaine était somptueux, que les vins étaient excellents et que la soirée avait été très réjouissante. Je fis semblant de la regretter. Néanmoins, j'étais fort contente d'avoir pu y échapper.

Hélas, après l'ennui, la maladie fit son apparition.

Deux mousses ne purent quitter leur hamac un matin. Leur quartier-maître les secoua, les traita de paresseux et réussit à les mettre debout. Mais ils s'écroulèrent en gémissant quelques minutes plus tard. Après les avoir examinés, le chirurgien de bord annonça :

— C'est la fièvre chaude [1]. Il faut les isoler... sinon.

Isoler deux malades sur un vaisseau comportant plus de deux cent cinquante personnes s'avéra impossible.

Le lendemain, dix personnes étaient touchées.

En une semaine, soixante-dix hommes périrent. Après une brève prière lue par notre aumônier,

1. Grippe.

leurs corps étaient jetés dans la mer. L'équipage, de plus en plus réduit, assistait à ce dernier hommage, un foulard noué devant la bouche et le nez afin de ne pas respirer les miasmes de la maladie.

Basile eut pendant trois jours une terrible fièvre. Je le soignai de mon mieux. C'est-à-dire que je lui faisais boire en abondance de l'eau bouillie et que je lui épongeais la sueur qui ruisselait de son front. Il me souriait en me suppliant de m'éloigner afin de ne pas être contaminée. Cependant, je ne me résolvais pas à l'abandonner à son sort. Notre amitié m'était précieuse et envisager la vie sur ce bateau sans sa chaleureuse présence me terrifiait. Ensemble, les mains jointes, nous priâmes Dieu et la Vierge. J'y ajoutai saint Malo. Ils exaucèrent nos prières car, un matin, il se réveilla sans grelotter.

— Dieu n'a pas jugé bon de me rappeler à lui, me dit-il, et c'est grâce à toi.

— Non point, ce sont nos prières conjuguées qui ont agi.

— Et certainement ce bon saint Malo... dès que l'occasion me sera donnée, j'irai le remercier dans sa ville même.

Notre capitaine décida alors de relâcher à Lisbonne. L'équipage n'était plus assez nombreux pour diriger le vaisseau et le défendre en cas d'attaque. Et après trois mois de navigation, *Le Profond* avait besoin d'être caréné [1].

J'appréhendais cette escale. Il allait falloir que j'aille boire dans les tripots avec les marins, que je rie à leur grivoiserie, que je fasse semblant de trousser les jupons des filles... Sinon, que penseraient-ils de moi ?

Fort heureusement, une idée me vint. Je la mis en pratique dès que le maître d'équipage, me tapant sur l'épaule, me proposa :

— Allez, Henri, on va tous boire à notre santé ! On l'a bien mérité ! Ça nous ôtera l'odeur de la mort !

— Je ne peux vous suivre. J'ai fait vœu à la Vierge de la Grand'porte de ne plus boire d'alcool ni de toucher les filles si elle m'épargnait.

— Seigneur, un vœu pareil... pour un marin, s'étonna le bosco [2].

— Si les soixante-dix malheureux y avaient pensé... ils seraient peut-être encore avec nous, répondis-je sans me démonter, d'ailleurs, je vais de ce pas à la Santa Maria Maior [3] prier pour leur âme et remercier la Vierge.

— Peut-être... grogna le bosco. Vrai, t'es un drôle de gars, Henri de Pusay... plus proche du curé que du matelot.

1. Nettoyer, réparer un navire.
2. Autre mot pour maître d'équipage.
3. Cathédrale de Lisbonne.

— N'oublie pas que j'ai été élevé chez les jésuites ! lui lançai-je en guise de boutade.

Il éclata de rire. Il fit certainement circuler l'information parmi l'équipage, car on ne me proposa plus de me divertir dans les tavernes. Au contraire, on me marqua un certain respect, car je demeurai fidèle à ma parole tout le temps que notre navire resta à quai.

Dans la cathédrale, je priai effectivement avec une double ferveur, car personne sur terre ne priait pour ma sauvegarde puisque personne ne me savait en mer. Je revins chaque jour. Ce lieu m'apportait un grand apaisement et me rappelait en plus majestueux la chapelle de Saint-Cyr et mes douces compagnes.

Notre vaisseau fut bientôt remis à neuf et prêt pour le départ. Las, de nombreux matelots désertèrent et aucun volontaire ne voulut reprendre la mer. René entra dans une terrible colère. Il bastonna le bosco qui n'avait pas su retenir son équipage et poursuivit, l'épée à la main dans les rues de Lisbonne, un maître canonnier qui s'était éclipsé. Ce dernier, pour assurer son salut, dut se réfugier dans une église que René n'osa profaner en y entrant avec son arme au clair.

Nous quittâmes enfin Lisbonne. René était aussi grognon et méchant que les dogues de Saint-Malo. Je ne me fis point remarquer.

L'angoisse de revoir Saint-Malo en étant aussi pauvre que je l'avais quitté, avec, dans le cœur, le souvenir toujours aussi vif de Luc-Henri, me faisait perdre le sommeil et l'appétit.

— Pourquoi cette mine si triste ? s'inquiéta Basile. N'es-tu point content de rentrer au pays ?

— Non point... j'y ai laissé certaines affaires... fâcheuses... qui n'ont pas eu le temps de cicatriser.

— Une peine de cœur ?

— C'est cela.

— Voyons, cette donzelle ne te mérite pas ! Si seulement tu n'avais pas fait ce vœu... tu aurais pu l'oublier en te divertissant avec les Portugaises qui sont girondes à souhait...

— Un vœu est un vœu.

— C'est tout à ton honneur. Est-ce que le père de cette demoiselle pense que tu n'es point assez riche et valeureux et est-ce pour cela que tu t'es embarqué ?

— Si fait.

— Et ce n'est pas cette campagne-ci d'où nous revenons bredouilles qui va arranger tes affaires...

— Certes.

— Il y en aura d'autres, mon ami... m'assura-t-il en me donnant dans le dos une grande claque amicale qui manqua me briser les os.

J'étais assez étonnée de voir avec quelle facilité je mentais. Et encore, non, je ne mentais pas. Ma vie actuelle semblait être le miroir de ma vie d'avant et il me suffisait de m'appliquer à me souvenir que j'étais un garçon pour que tout se reflète parfaitement. Car après tout, c'était bien une peine de cœur qui m'avait jetée sur la mer et aussi la nécessité de revenir couverte d'honneurs et de richesses.

Cependant, je craignais qu'en retrouvant Saint-Malo, mes ennuis ne ressurgissent. Je ne voulais point subir l'humiliation d'être emprisonnée sur les ordres de ma mère, vexée que j'aie osé la défier en quittant la maison sans son autorisation.

Le hasard vint à ma rescousse.

Notre capitaine décida d'entrer dans le port de Brest. Peut-être n'avait-il pas envie, lui non plus, d'arriver à Saint-Malo, sa ville, sans belles prises ?

Lorsque je l'appris, j'en fus si soulagée que j'esquissai quelques pas de menuet, une danse que nous avions apprise à Saint-Cyr. Heureusement personne ne me surprit, car j'aurais encore été obligée d'inventer un conte pour expliquer ma connaissance de cette danse de salon sans doute peu usitée chez les jésuites.

## CHAPITRE

# 13

L'âme humaine est assurément étrange !

À peine avais-je posé le pied à Brest en poussant un soupir de soulagement que je regrettai d'avoir accosté dans ma Bretagne sans voir Saint-Malo.

En trois mois, il peut se passer tant de choses ! Luc-Henri avait peut-être quitté cette dame Chamoiseau. Peut-être cherchait-il une demoiselle à aimer, et si je n'étais point là, il allait s'éprendre de n'importe quelle gourgandine !

J'hésitais. « J'y vais ? Je n'y vais pas ? »

Basile, quant à lui, avait aussitôt loué un cheval pour regagner la capitale afin d'y embrasser sa mère et sa sœur. Cela me fit un pincement au cœur, car j'aurais aimé également éprouver le désir d'embrasser ma mère.

Je pris une chambre dans une auberge en espérant que René Trouin allait vitement obtenir l'armement d'un nouveau navire ainsi qu'une lettre de marque du roi qui nous permettrait de capturer les bâtiments ennemis.

Mais attendre sans rien faire était épuisant et j'avais l'impression que les muscles qui avaient poussé sous ma chemise après trois mois d'entraînement assidu à l'épée étaient en train de fondre tandis que, allongée sur le lit, je laissais le temps s'écouler. Et puis, pourquoi ne pas l'avouer, j'avais très envie de revoir Luc-Henri.

Un matin, je n'y tins plus.

Je quittai ma chambre. Avant toute chose, je devais changer de hardes. Être vêtue en homme sur un bateau était normal, mais je n'envisageais point de déambuler en ville ainsi. Il y avait dans la rue de la Coudre une boutique revendant des vêtements déjà portés. J'y entrai.

— Que désire Monsieur ? me demanda le drapier.

— Une tenue pour mon épouse... Elle est souffrante et ne peut se déplacer pour l'instant... mais elle n'est pas plus grande que moi... et guère plus épaisse.

Mon explication lui suffit. Il me donna à choisir entre plusieurs jupes de matières, de couleurs et de prix différents, me présenta des bustiers brodés, et aussi quelques jupons de batiste. C'était la première fois que j'achetais des vêtements de femme. Lorsque j'étais enfant, ma mère faisait confectionner par une couturière des tenues dans ses anciens vêtements, et, à Saint-Cyr, nous avions toutes le même costume. Je m'aperçus avec stupéfaction que je prenais plaisir à tâter les étoffes, à les caresser du plat de la main, à choisir les dentelles et à assortir le tout.

— Monsieur possède un goût sûr, me flatta le marchand.

Je rougis.

J'acquis un corps [1], un bustier à peine ouvragé, un corsage à manches ornées de dentelles, une jupe de taffetas verte, un jupon parmi les plus simples, des bas, des souliers, des gants, un bonnet à la mode de Brest et aussi un masque. Habituellement le masque est destiné à protéger le visage de l'ardeur du soleil, mais nous étions en novembre et le temps était assez gris et brumeux. Je comptais donc m'en servir pour éviter que ma peau marquée par le vent et l'air marin n'attire l'attention. Le bonnet cacherait mes cheveux et les gants mes mains abîmées.

1. Corset.

Mon paquet sous le bras, je regagnai l'auberge. Je payai l'aubergiste avant de monter dans ma chambre. Il s'en étonna :

— Je préfère, lui répondis-je. Je pars tantôt et je risque d'oublier.

Sitôt dans ma chambre, je me changeai. J'arrangeai le mieux possible ma chevelure rêche sous la coiffe, je me cachai derrière le masque et j'enfilai les gants. Je descendis l'escalier de bois et me faufilai à l'extérieur sans que l'aubergiste me remarque. Je poussai un soupir de soulagement, car j'aurais été bien marrie s'il m'avait surprise et reconnue. Quelle fable aurait-il fallu que j'invente encore pour expliquer que j'étais une demoiselle ayant revêtu des habits de l'autre sexe ?

Je montai dans un coche qui, passant par Morlaix, Guingamp, Saint-Brieuc, Dinan, me conduisit en deux jours à Saint-Malo.

Cette fois, je descendis dans une auberge sise rue de l'Orme. Je ne m'y attardai pas. Mon but était de flâner dans les rues, sur les remparts, sur le Vieux-Quai en espérant y croiser Luc-Henri. La chance était infime, mais je ne voulais point la perdre. Je savais pourtant qu'il n'était pas convenable qu'une jeune fille se promenât seule, sans être chaperonnée [1]. Je risquais d'être accostée par quelque

1. Accompagnée.

malotru qui me prendrait pour une fille de mauvaise vie. Je n'avais, pour l'heure, point d'autre solution, et courir certain danger pour revoir Luc-Henri n'était pas pour me déplaire. C'était vraiment la preuve, si besoin était, que mon cœur était tout à lui.

Je pénétrai dans l'église Saint-Vincent où, après avoir remercié la Vierge de m'avoir ramenée saine et sauve dans ma Bretagne, je lui offris un cierge pour qu'elle protège mon entreprise.

Je quittai sereine le lieu saint.

Après quoi je m'avançai dans les rues tous les sens en éveil. Il s'agissait de prêter l'oreille pour reconnaître sa voix, d'apercevoir un tricorne, une plume, un manteau lui appartenant ou de renifler son parfum. J'empruntai toutes les rues de la ville et même les venelles, m'attardant devant les tavernes et les tripots. Je pris la rue des Revendeuses pour atteindre les remparts et j'y marchai sans regarder la mer jusqu'à la tour Bidouane. Je refis le chemin en sens inverse, prenant le vent et la bruine en plein visage, sans rencontrer Luc-Henri.

Déçue, je rentrai à l'auberge où je demandai que l'on allumât un feu dans la cheminée de ma chambre afin de me sécher un peu.

« Demain, je recommencerai, et après-demain et... et je finirai bien par le voir. Sinon... »

Quatre jours durant, j'arpentai les rues, les quais, les remparts en vain. Mon orgueil était mis à rude épreuve. N'allais-je pas être repérée et prise pour une gourgandine voulant vendre ses charmes ? Cette pensée était mortifiante, et afin d'ôter à qui que ce soit l'envie de m'aborder, je prenais soin d'être toujours enveloppée de mon manteau, ne laissant dépasser aucun pouce de ma peau, et gardant mon visage masqué. Mais, au fil des jours, la déconvenue me plombait le cœur en même temps qu'une sorte de rage m'animait : étais-je assez sotte pour avoir pu imaginer que je le croiserais ainsi par hasard dans les rues !

Ce soir-là, alors que j'allais regagner l'auberge bredouille, je flânais sur le chemin de ronde et, à l'abri d'un parapet, je regardais la mer changer de couleur à l'approche de la nuit. Nous étions à la fin de novembre. Le vent avait faibli. L'air était doux. Puisque la Vierge avait voulu que je ne rencontre pas Luc-Henri, c'est qu'elle me réservait un autre destin. J'avais pris la décision de regagner Brest dès le lendemain afin d'embarquer avec René. À cette heure, il avait certainement une nouvelle lettre de marque et cherchait probablement son équipage. Je me devais d'en être. J'étais loin d'avoir accompli la mission que je m'étais fixée. Les yeux perdus dans les vagues, je saisis les bribes d'une conversation.

— Faut pas rester là, les Anglais vont plus tarder.

— C'est pour quand ?

— Le 25 ou le 26. Ça va dépendre des vents. C'est le bon moment. Cet idiot de Pontchartrain a fait diriger sur Brest les deux galères qui assuraient la protection de Saint-Malo. Il s'imagine que les remparts de Vauban sont suffisants.

— Les Anglais le savent ?

— Diantre, j'en informe personnellement l'amiral John Berkeley. Et il me paie grassement. Trente navires sont prêts à s'emparer de la ville. Pontchartrain m'a humilié, autrefois. Il va le regretter !

Je retins mon souffle, paralysée par ce que je venais d'ouïr. Si les deux traîtres me découvraient, qu'adviendrait-il de moi ! Emmitouflée dans ma mante, je me collai contre la pierre.

— Je m'embarque demain pour Londres. Tu devrais faire de même. Je gage qu'il ne fera pas bon être de mes amis si, par malheur, de Chaulnes découvre celui qui a trahi.

— Tu as raison, Jacques.

Le bruit de leurs pas sur les pavés m'indiqua qu'ils s'éloignaient. Je crus un instant défaillir, tant mon émotion était forte. J'essayai de rassembler mes esprits, mais tout était si confus, si angoissant, si étrange que je n'y parvins pas. Je regagnai l'auberge afin d'y réfléchir plus commodément.

Tout en marchant, je me retournai fréquemment, inquiète, craignant d'être suivie par l'un des scélérats.

Je retrouvai un peu de calme dans la sécurité de ma chambre.

Je devais absolument prévenir quelqu'un.

Qui ? Je ne connaissais personne. Si j'avais pu me confier à mon père sans affronter la colère et les reproches de ma mère... Quant à Luc-Henri, j'ignorais où il habitait.

Un nom me revint alors en mémoire : celui du duc de Chaulnes, amiral et gouverneur de Bretagne, qui partageait son temps entre Rennes, Saint-Malo et Versailles...

Mon père m'en avait parlé. Pas vraiment en bien. Il n'avait pas été à la hauteur de sa mission lors de plusieurs révoltes paysannes en Bretagne et y avait acquis le surnom de Gros Cochon.

Mais c'était le seul nom de notable qui m'était connu. C'était donc lui que j'irais voir si, par chance, il était à Saint-Malo.

Je passai une nuit agitée de cauchemars et, dès potron-minet, je me levai. Après avoir dépoussiéré ma jupe et mes souliers, je me vêtis et me coiffai avec soin. Afin de pouvoir ôter mon masque, j'avais acheté quelques jours plus tôt une crème pour me blanchir le teint et un peu de rose pour mes lèvres. J'attendis pourtant deux longues heures avant de quitter ma chambre, car il était inutile et dangereux d'arpenter les rues de si grand matin. Croisant l'aubergiste en train de récurer le sol de la salle, je le questionnai :

— Savez-vous où loge le duc de Chaulnes ?

— Pour sûr, c'est la plus belle maison de la ville, rue du Cheval-Blanc. Qu'est-ce que vous lui voulez, à cette heure matinale, au duc ?

Je me troublai :

— Oh, rien d'important... je... je voudrais solliciter une place de gouvernante...

— Ah, alors passez par les communs, sinon vous risquez d'être mal reçue. On dit qu'il n'a pas bon caractère.

Je trouvai sans peine la maison du duc. Je priais intérieurement pour qu'il y soit... sinon je ne voyais pas à qui confier mon lourd secret. Je fis tinter la cloche suspendue à la porte. Un valet ouvrit et me demanda d'un ton condescendant :

— Qui êtes-vous et aviez-vous sollicité une entrevue ?

J'essayai d'adopter un ton courtois mais ferme afin que le domestique ne soit pas tenté de me renvoyer. À dire vrai, j'avais longuement répété la phrase que je devrais prononcer et je lâchai sans hésiter :

— J'ai nom Henriette de Pusay, mon père a été blessé à la Hougue et j'ai une information de première importance à communiquer à M. le duc.

J'espérais que la notoriété de mon père me serait un sésame. Mais je savais aussi qu'en donnant mon nom, je m'exposais aux pires ennuis si ma mère avait lancé un avis de recherche me concernant.

— M. le duc a de lourdes tâches et ne reçoit que sur rendez-vous.

— Ce que j'ai à lui apprendre est capital. Il y va de la survie de notre bonne ville de Saint-Malo.

Le majordome m'octroya un regard glacial. Je ne sourcillai pas.

— Attendez dans l'antichambre, me dit-il, je vais informer M. le duc de votre requête.

Il m'ouvrit une porte et j'entrai dans une pièce sombre. La lumière du jour n'y pénétrait point encore et aucun feu, ni aucune chandelle, ne l'éclairait. Aux murs une tapisserie représentant une scène de chasse, et, rangés le long d'un mur, des chaises et des ployants. J'étais bien trop nerveuse pour m'asseoir. J'attendis debout. Longtemps. Peut-être plus d'une heure. M'avait-on oubliée ? Comment me manifester sans paraître mal éduquée ? Je toussotai. Personne ne vint. Enfin, alors que je commençais à désespérer, le majordome reparut.

— Suivez-moi, jeta-t-il.

Après avoir traversé plusieurs pièces somptueusement meublées, je fus introduite dans un salon où un homme, me tournant le dos, se chauffait les mains aux flammes d'un feu qui brûlait dans une immense cheminée.

— Qu'avez-vous de si important à m'annoncer, mademoiselle ? Faites vite, je suis pressé, me dit-il sans se retourner.

Cet homme était un goujat. Et puisqu'il ne me saluait même pas, je décidai de lâcher tout à trac mon information pour le faire réagir.

— Saint-Malo va être attaqué par les Anglais d'ici deux ou trois jours.

Il fit brusquement volte-face et, me dévisageant avec insistance, il siffla :

— D'où tenez-vous pareille insanité [1] ?

— Hier soir, j'ai surpris une conversation et...

Il éclata de rire et poursuivit :

— Vous prenez-vous pour la Pucelle d'Orléans chargée de bouter l'Anglais hors de France ?

— Non, point, monsieur, et ce ne sont pas les voix des anges que j'ai entendues, mais bien celles de deux traîtres à notre pays.

— Savez-vous leur nom ?

— L'un d'eux s'appelle Jacques.

— C'est tout ?

— Ce traître a informé un certain John Berkeley que les galères avaient quitté Saint-Malo et que c'était donc le bon moment pour nous attaquer.

1. Bêtise.

Le duc changea de visage.

— L'amiral John Berkeley, répéta-t-il plusieurs fois en arpentant la pièce.

Il réfléchit un long moment, puis décréta d'un ton sec :

— Ils ne réussiront jamais à franchir les passes aboutissant à Mer Bonne [1]. Seuls ceux qui les connaissent y parviennent.

Il tira sur le cordon d'une sonnette. Le majordome apparut.

— Raccompagnez cette demoiselle, dit-il avant de se tourner à nouveau vers la cheminée.

Pas un mot de remerciement. J'avais pourtant l'impression qu'en prononçant le nom de l'amiral anglais, j'avais accrédité mon récit. Je ne savais plus que penser et il aurait été fort malvenu d'insister. Peut-être, après tout, ne s'agissait-il que de propos d'ivrognes ou de plaisantins qui, après m'avoir aperçue contre le parapet du chemin de ronde, voulaient m'effrayer ? Je m'étais émue un peu vite. Il est vrai que j'avais toujours entendu mon père affirmer qu'aucun étranger ne réussirait jamais à pénétrer dans Mer Bonne sans se fracasser sur les nombreux écueils qui en gardaient l'entrée.

Je retournai à l'auberge, bien décidée à regagner Brest le plus vite possible.

1. Portion de mer dans le port de Saint-Malo.

CHAPITRE

# 14

Le lendemain matin, je pris mon modeste baluchon contenant mes vêtements masculins et je me dirigeai vers la place d'où partaient les coches. Reconnaissant celui qui m'avait conduite jusqu'à Saint-Malo quelques jours plus tôt, je m'informai de l'heure du prochain départ.

— J'suis complet, me répondit le cocher.

— Complet ? m'étonnai-je.

— Eh oui. Je sais pas ce qu'ils ont les bourgeois de Saint-Malo, ils ont tous décidé de partir en même temps. Et demain, c'est pareil. J'ai pas une place de libre avant trois jours.

— Trois jours... répétai-je, abasourdie.

— Et si vous en voulez une, faut me la payer d'avance.

Je m'exécutai, puis je revins à l'auberge pour reprendre ma chambre avant que l'aubergiste ne l'ait louée à quelqu'un d'autre.

J'étais terriblement déçue de ne pas partir et aussi très inquiète, car plusieurs personnes étaient susceptibles de m'attirer des ennuis. Si les deux traîtres découvraient que j'avais ouï leur secret, je ne donnais pas cher de ma vie. Quant à l'amiral, s'il apprenait que je m'étais enfuie de chez moi, il pouvait me faire arrêter.

Mon premier réflexe fut donc de me terrer dans ma chambre.

Cependant, une idée, moins sinistre que les précédentes, traversa mon esprit : « Et si la Providence m'avait retenue à Saint-Malo pour que je croise Luc-Henri ? »

Je sortis donc de ma chambre pour sillonner encore les rues et les remparts.

Le soir allait tomber lorsqu'une rumeur enfla dans les rues.

— Le guetteur de la porte Notre-Dame vient d'apercevoir une flotte d'une trentaine de vaisseaux arborant le pavillon blanc à fleurs de lys, me lança un marin.

— C'est la flotte du roi, ajouta un gamin. Faut pas rater ça ! Certains disent que le roi est à bord d'une frégate royale.

Je fus bousculée par un grand nombre de Malouins et de Malouines pressés d'aller assister à ce fabuleux spectacle.

Mon sang se glaça.

N'était-ce pas plutôt des navires anglais ?

Je me rassurai. Il ne pouvait point s'agir d'eux puisqu'ils arboraient les couleurs de France. Je fis comme les autres, et, bientôt, les mains en visière, j'admirais moi aussi, du haut des remparts, la flotte qui approchait. Je comptai vingt-six navires.

— Voyez, expliquait avec fierté un homme à son épouse, il y a au moins dix vaisseaux de cinquante canons et plus. C'est dire si notre roi est bien protégé.

— Ce qui est plus curieux, ajouta un gentilhomme retenant son chapeau de la main afin que le vent ne l'emporte pas, c'est qu'il y a aussi des galiotes à bombes.

Il n'avait pas plutôt dit cela que plusieurs canons tonnèrent.

— C'est pour saluer le bon peuple de Saint-Malo, insinua un gros homme rougeaud.

— Que nenni, monsieur, ce sont les premières sommations avant un combat, assura un marin.

— Avant... un combat ! bredouilla une dame.

— Monsieur a raison, répondit un homme un œil collé à sa longue-vue. D'ailleurs, les couleurs de

France viennent d'être remplacées par le drapeau anglais !

— Seigneur, les Anglais ! crièrent plusieurs voix.

— Nous sommes perdus ! prédit quelqu'un. La garnison est insuffisante pour défendre la ville.

Certaines dames se signèrent et, empoignant leurs jupes, s'éloignèrent à grands pas des remparts, leurs maris sur les talons. Les cris de peur, les appels se mêlèrent au tocsin qui retentit pour appeler les secours. Dans les rues, c'était un incroyable désordre : les bourgeois et les notables couraient s'enfermer chez eux ; les soldats de la garnison s'élançaient vers la mer ; des courriers étaient dépêchés en toute hâte vers Saint-Servan, Dinan et Dol pour appeler à la rescousse les troupes et les volontaires. Il y avait aussi – c'était le plus incroyable – des gens de toutes conditions, de tous âges, et même quelques femmes, qui criaient :

— J'apporte des fusils ! On va pas se laisser faire !

— Moi, je vais chercher des munitions !

— Venez, venez nous rejoindre ! hurlait un colosse roux. Tous les bras, tous les fusils, toutes les munitions seront les bienvenus pour repousser l'ennemi.

Je n'hésitai pas et je suivis ceux qui revenaient vers les remparts les armes à la main.

— Donnez-moi un fusil, ordonnai-je.

Je me postai avec les autres derrière un parapet. La rage m'habitait. L'amiral ne m'avait pas crue et maintenant nous allions devoir affronter la terrible marine anglaise ! Mais je n'avais rien à perdre et j'étais prête au sacrifice de ma vie pour que l'Anglais ne prenne point possession de ma ville !

Les bouches à feu des remparts, pointées sur la flotte anglaise, tirèrent une salve de boulets sans atteindre leur but. Mais c'était une façon de montrer à ces chiens d'Anglais que nous ne nous rendrions pas sans combattre. Nous applaudissions les canonniers et hurlions notre haine pour nous encourager.

La nuit arriva. Les canonnades cessèrent. Cependant, nous ne quittâmes point nos postes et nous dormîmes à même le sol en nous relayant. À dire vrai, il y avait peu de demoiselles. Quelques filles de marin seulement. Bourgeoises et demoiselles de condition avaient préféré s'enfermer à double tour dans leur demeure. Celui qui m'avait remis le fusil me proposa sa veste pour que je sois assise plus confortablement. Il se présenta fort courtoisement. Il s'appelait Fantin Rozon. J'avais remarqué qu'il était prévenant et veillait à ce que je ne m'expose pas aux tirs ennemis, et cela m'avait plu. Il engagea la conversation.

— Votre père est avec nous ?

— Non point.

— Votre frère, alors ?

— Non.

— Seriez-vous seule ? s'étonna-t-il.

— Lorsque j'ai une arme à la main, je ne crains rien, car je sais manier le sabre et le fusil et la solitude ne m'effraie pas.

— Grand Dieu, le sabre aussi ? se moqua-t-il.

Son ton ironique m'agaça. Je me levai d'un bond et, saisissant le coutelas fixé à sa ceinture, je le lui pointai sur la gorge avant qu'il n'ait eu le temps de réagir.

— Holà ! fit-il, ce genre de feinte est le propre des pirates ou des corsaires, et vous n'en êtes point, ce me semble !

J'aurais pu lui répondre par l'affirmative, mais cela risquait de nous entraîner dans une discussion où j'aurais été obligée de lui révéler quelques-uns de mes secrets et je ne le souhaitais pas.

— Moi, c'est aux filles comme vous que va ma préférence. Je déteste les sucrées et les Marie-clapettes [1].

À cet instant, un homme s'exclama :

— Allez, les tourtereaux, c'est à votre tour de monter la garde !

Je rougis, mais l'obscurité me protégea et personne ne s'en aperçut. Mon chevalier servant me

1. Commères, bavardes.

tendit la main pour m'aider à me relever et me garda quelques secondes contre lui. Je me dégageai vitement. Le moment était mal choisi pour les sentiments et mon cœur était pris ailleurs. D'ailleurs, plusieurs fois, mon regard s'était porté sur les nombreux hommes venus sur les remparts. Luc-Henri était sans doute là. Il ne pouvait laisser sa ville se battre sans lui. Pourtant, je ne le vis point.

Je m'appliquai à bien observer les vaisseaux ennemis pour détecter si l'un d'eux tentait une manœuvre sournoise d'approche...

— Les Anglais sont des couards et des sots ! prétendit Fantin. S'ils nous avaient attaqués tout de suite, nous étions perdus. Ils ont tergiversé et, maintenant, nous sommes prêts à les recevoir !

— Le croyez-vous ? m'inquiétai-je.

— Certain. Les Malouins vendront chèrement leur vie afin de sauver leur ville et je les suis dans cette voie.

Emportée par sa fougue, j'assurai :

— Moi aussi.

Il me serra le bras et cette étreinte me fut aussi douce qu'une caresse. Je me sentais en parfaite harmonie avec ce monsieur que je ne connaissais pas. Nous partagions les mêmes valeurs et il ne se préoccupait ni de mon physique ingrat ni de ma dot, seulement de mon courage.

Soudain, des tirs de canons [1] !

Tout le monde se précipita contre le parapet pour tenter d'apercevoir d'où venaient les coups. Vers le large, à main droite, on aperçut des flammes et de la fumée.

— C'est le fort de La Conchée ! annonça un bourgeois.

— Ces diables d'Anglais en profitent. La construction du fort n'est pas encore achevée. Il ne résistera pas longtemps, se lamenta Fantin.

Les poings crispés, le visage tendu, nous assistâmes de loin à la bataille en espérant qu'un miracle se produirait. Mais quelques heures plus tard, grâce à la longue-vue que l'on me prêta, je ne vis du fort que des pans de murs fumants.

— Ah, si nos batteries avaient été installées et si la garnison avait été suffisante, ils ne seraient pas passés ! grogna un homme à mon côté.

Tout à coup, quelqu'un pointa l'index dans la direction de l'île de Cézembre.

— Seigneur ! Ils vont attaquer le couvent des récollets [2] !

— Pourquoi s'en prendre à des moines ? m'étonnai-je.

1. Le 26 novembre 1693, une flotte de vingt-six navires anglais attaqua Saint-Malo.
2. Ordre religieux.

— Ces parpaillots [1] ne respectent rien ! Ils sont assoiffés du sang des catholiques !

— Et surtout, reprit Fantin, ils veulent être les maîtres de toutes les îles qui nous protègent. Ils ont compris que s'ils nous attaquaient de front, nous résisterions avec vaillance, alors ils vont neutraliser une à une toutes nos défenses.

Une fois de plus, nous fûmes les témoins impuissants de la bataille qui s'engagea entre la flotte anglaise et les moines récollets. La colère enflait parmi les Malouins.

— Ah, ils l'emporteront pas en paradis. Si je tenais un Anglais entre mes mains, je lui ferais craquer les os, les uns après les autres !

Un bruit de bottes marchant au pas et des ordres brefs lancés dans notre dos nous firent nous retourner. Deux compagnies de dragons arrivaient en renfort. Nous les accueillîmes par des cris de joie. Peu de temps après, plusieurs vaisseaux malouins quittèrent le port pour venir au-devant des remparts et les protéger. Là encore nous manifestâmes notre allégresse. La défense de la ville s'organisait et c'était réconfortant. Une cornemuse joua même un air de chez nous. Fantin en profita pour saisir ma main et m'entraîner dans la danse. C'était un peu incongru, mais nous étions si soulagés après la

1. Terme injurieux pour désigner les protestants.

tension des premières heures que plusieurs hommes dansèrent aussi.

La nuit fut relativement calme et je la passai assise sur la veste de Fantin, laissant parfois aller, malgré moi, ma tête sur son épaule lorsque le sommeil me terrassait. C'est d'ailleurs la tête sur son épaule, et son bras autour de ma taille, que je me réveillai en sursaut le lendemain matin vers les six heures : le bombardement de la ville commençait. Les vaisseaux malouins et les canons installés sur les remparts répondirent. Nos fusils, pour l'heure, étaient inutiles et ceux qui ne couraient pas pour ravitailler les bouches à feu en poudre, en étoupe, ou en boulets s'étaient allongés pour se protéger.

Toute la journée, les Anglais nous agacèrent par des bombardements inoffensifs, car leurs vaisseaux étaient trop loin pour provoquer d'importants dégâts dans les solides remparts de M. Vauban. Certains Malouins se vantaient :

— Ah, ah ! ces Anglais ne savaient point que le sieur Vauban était le meilleur architecte de guerre du monde !

— Et lorsqu'ils auront usé tous leurs boulets, on les coulera et ils périront comme des rats !

Le cinquième jour qui était un dimanche, un prêtre vint célébrer une messe sur les remparts.

J'eus une pensée pour mes compagnes de Saint-Cyr qui, au même instant, assistaient à la messe dans la chapelle. Quelle tête elles feraient si elles me voyaient prier ainsi au milieu des hommes et de la mitraille !

Des dames de la ville nous apportèrent des victuailles. Nous avions à peine mangé depuis quatre jours. Elles sortaient du pain, des pâtés, du jambon de leur panier et versaient du vin et de l'eau dans des godets d'étain que nous nous passions de main en main. J'étais accroupie contre le mur du rempart avec Fantin et trois autres garçons lorsqu'une demoiselle s'approcha.

— Avez-vous faim, mes braves ? questionna-t-elle.

Je la reconnus immédiatement. C'était Bertille. Je crispai la main sur le bras de Fantin et je baissai la tête.

— Sûr, demoiselle ! répondit-il.

J'accentuai mon étreinte afin qu'il comprenne que quelque chose me troublait. Il ne fallait pas que Bertille me reconnaisse. Elle risquait de m'attendrir par ses pleurs et ses supplications. Et puis ma mère devait accompagner sa cadette pour accomplir cette œuvre charitable, et si elle me voyait, Dieu sait de quoi elle serait capable ! Je jugeais le destin fort cruel de m'imposer cette situation quand j'aurais donné la moitié de ma vie pour rencontrer Luc-Henri qui, lui, ne se montrait point.

— Voulez-vous un verre d'eau, mademoiselle ? me proposa ma sœur.

Je gardais le visage ostensiblement baissé. Fantin me sauva de ce mauvais pas en annonçant :

— Elle est sourde et muette. Laissez-nous une bouteille, du pain et du pâté, et nous nous débrouillerons.

— Oh, la pauvre !

Elle effleura mon épaule d'une main compatissante. Les larmes me montèrent aux yeux tant j'étais émue par son geste et triste de devoir lui jouer cette mascarade.

Dès qu'elle se fut éloignée, Fantin releva mon visage baigné de larmes.

— C'était ma sœur, lui expliquai-je. Mais je ne voulais pas qu'elle me voie ainsi.

Il ne me posa pas de question. Du bout des doigts, il essuya mes larmes et me murmura à l'oreille :

— J'aime bien aussi les femmes tendres.

La nuit s'annonça sombre, car la lune était cachée par d'épais nuages. Nous étions toujours aux aguets dans l'attente d'une attaque qui ne venait pas. Sur les remparts, on se perdait en conjectures :

— Qu'est-ce qu'ils attendent au juste ?

— J'vous dis qu'ils ont peur !

— Ou alors... ou alors... ils préparent quelque chose... pour nous surprendre et percer notre muraille.

Je profitai de ce semblant de calme pour abandonner l'épaule de Fantin qui s'était assoupi sous l'effet du vin et de la fatigue et je marchai sur le chemin de ronde. Je m'étais éloignée de plus de deux cents pas lorsque la lune se dégagea des nuages, éclairant la mer d'une traînée argentée.

— Une nef s'approche ! hurla un guetteur, l'index pointé vers la tour Bidouane.

Aussitôt, nous nous précipitâmes contre le parapet pour l'apercevoir.

— La tour Bidouane ? N'est-ce pas là que nous entreposons la poudre ? interrogeai-je avec anxiété.

— Si fait. Ces chiens d'Anglais ont dû bourrer leur vaisseau d'explosifs qu'ils activeront en arrivant contre la tour. Tout va sauter : la ville et nous avec !

— Il faut l'empêcher d'avancer ! hurlait-on de tous côtés.

Alors que d'autres répondaient :

— Il n'y a rien à faire, fuyons !

Déjà, des froussards me bousculèrent pour dévaler les ruelles en hurlant afin de prévenir la population.

Les yeux agrandis par l'horreur, nous assistions à l'avancée de ce vaisseau fantôme tous feux éteints.

C'est à cet instant que je l'aperçus. Aucune femme n'était à son côté. Je souris. J'oubliai pourquoi j'étais sur ces remparts. Une seule chose comptait. Il était là. Je criai pour dominer le tumulte :

— Luc-Henri !

Il se retourna.

À ce moment-là, une épouvantable explosion me perça les tympans, tandis que le sol tremblait sous mes pieds, que les ardoises des toits volaient et que les vitres explosaient. Je fus projetée à terre. Tout le monde s'agitait, criait, piétinait. Une lueur rougeoyante éclairait la mer, et la fumée, poussée par le vent, me faisait suffoquer.

« Le feu, pensai-je. La poudrière a explosé. Nous allons mourir ! »

Alors que je m'imaginais périr par le feu, une énorme vague créée par le souffle de l'explosion submergea les remparts, nous engloutissant sous l'eau de mer.

Choquée, j'étais incapable de faire un geste pour m'enfuir. Je recommandai alors mon âme à Dieu, persuadée que je vivais mes dernières minutes avant que les Anglais ne surgissent et ne nous massacrent.

Soudain, une main secourable se tendit vers moi. Je la saisis. À n'en point douter, c'était celle de

Luc-Henri. Le sourire aux lèvres, je tournai les yeux vers lui. Ce n'était pas Luc-Henri, mais Fantin.

— Seigneur ! gronda-t-il, vous m'avez fait une de ces peurs ! Je vous ai cherchée partout. Voulez-vous donc vous faire tuer ! Venez vous mettre à l'abri !

Je me levai et je fouillai du regard les alentours ! Partout ce n'était que confusion ! Où était-il ? Était-il blessé ? Je me détachai des bras protecteurs de Fantin, et je partis à la recherche de Luc-Henri, les yeux brouillés de larmes, titubant, bousculant les soldats et les volontaires. Fantin me suivait en répétant :

— Que vous arrive-t-il ?

— Je cherche un ami...

— Quelle drôle de fille vous êtes ! Vous vous cachez aux yeux de votre sœur et vous vous exposez aux tirs ennemis pour retrouver un ami... j'ai du mal à vous comprendre.

— Ne cherchez pas à me comprendre, Fantin. Laissez-moi. Je... je n'ai besoin de personne pour...

Une explosion nouvelle me fit sursauter si fort que je me retrouvai entre ses bras. Il éclata de rire et me serra contre lui.

## CHAPITRE
# 15

La tour Bidouane n'avait pas sauté.

En fait, le vaisseau anglais qui, chargé de bombes, de pots à feu, de poudre, de poix, de paille hachée et de toutes sortes d'artifices, devait s'aller cramponner au mur de la ville heurta un écueil cinquante pas avant. Les marins, n'ayant plus aucun moyen de diriger la nef, allumèrent les mèches avant de quitter promptement le vaisseau qui explosa.

Et si les vitres, les toitures furent endommagées, il n'y eut pour victime qu'un malheureux chat assommé dans son sommeil par une tuile. Les remparts ne furent pas touchés et les Anglais ne purent pas pénétrer dans notre bonne ville.

Du haut des murailles, nous vîmes les vaisseaux anglais s'éloigner, poursuivis par des navires corsaires de chez nous. Nous poussâmes nombre de « vivats ». Certains tentèrent de lancer leurs chapeaux en l'air, mais ils étaient si gorgés d'eau de mer qu'ils s'avachirent sur le sol trempé. Moi-même, j'étais si mouillée que je grelottais.

— Il faut rentrer chez vous et vous changer ! me conseilla Fantin, je vous accompagne.

Je n'avais point de « chez-moi » et pour tout vêtement je possédais celui que je portais ou alors ma tenue d'officier de marine laissée à l'auberge. Il aurait fallu que j'explique ma situation par de nouvelles menteries et cela m'ennuyait. Je bredouillai :

— Je... je préfère rentrer seule.

— Décidément, vous ne faites rien comme tout le monde, me répondit-il le sourire aux lèvres.

— Vous avez deviné juste.

— Me donnez-vous au moins l'assurance que nous nous reverrons ?

— Si Dieu le veut.

— Alors, je m'en vais de ce pas prier le Christ du Ravelin et du même coup le remercier de nous avoir protégés.

Je n'étais pas très fière de mon attitude, il avait été prévenant et gentil avec moi. Pourtant, avais-je le choix ?

Je partis sans me retourner tout en sentant son regard dans mon dos. Je savais qu'il ne me suivrait pas, car ce garçon avait de l'honneur bien qu'il ne soit pas gentilhomme. Tous les gens qui, quelques instants auparavant, étaient sur les remparts refluaient maintenant vers la ville. Je me plaçai dans l'encoignure d'une porte pour les regarder défiler en espérant revoir Luc-Henri. Il était dans cette foule, peut-être en train de me chercher lui aussi... Nous allions nous rencontrer, c'était certain.

Je ne le vis point.

Je restai là jusqu'à ce qu'il n'y eût plus de passants. J'étais glacée et, si je ne voulais pas attraper la mort, je devais absolument me changer.

L'auberge était pleine de monde célébrant la victoire et je pus pénétrer dans ma chambre sans me faire remarquer. Je me dévêtis, je me séchai et je repris mes vêtements masculins, puis je quittai l'auberge. Je n'avais pas de temps à perdre. J'allais encore et encore parcourir les rues dans l'espoir d'y rencontrer Luc-Henri.

Je fis toutes les rues, les places, les ruelles, je montai sur les remparts, je pénétrai même dans les tavernes et les tripots. Il n'était nulle part. J'en aurais pleuré de rage et de désespoir. L'avoir aperçu et n'avoir pas pu lui parler me rendait folle. J'avais l'impression d'avoir raté la chance que la vie m'offrait.

Épuisée, j'entrai dans un cabaret au bout de la venelle des Petites-Chaux à dessein d'y boire une bolée de cidre. Je m'affalai sur le coin d'une table disposée dans l'endroit le plus obscur de la salle.

Je n'étais pas installée depuis plus de cinq minutes d'horloge qu'un homme m'apostropha :

— Eh toi ! Ça te dirait de devenir riche ?

— Faut voir, grognai-je le nez dans mon bol.

— Je suis chargé d'enrôler un équipage pour *La Diligente.* Une frégate royale de quatre cents tonneaux et quarante canons.

— Qui en est le capitaine ?

— Le sieur Duguay-Trouin. C'est un fameux ! Avec lui, on est sûr de faire de belles prises et d'avoir un partage équitable. Il arrive tout droit du Portugal où, chemin faisant, il a amariné [1] un vaisseau hollandais qui revenait de Curaçao les cales pleines d'une riche cargaison.

J'esquissai un sourire. Décidément, le destin se jouait de moi ! Pourquoi fallait-il que, parmi les dizaines de capitaines corsaires, ce soit encore sur un navire de mon ami d'enfance que je sois invitée à naviguer ? J'y vis comme un signe et j'inscrivis mon nom sur la feuille d'engagement que le recruteur me

1. Capturé.

tendit. Et puisque je ne retrouvais pas Luc-Henri, je tâcherais de l'oublier définitivement en m'éloignant de lui et en combattant pour René et notre roi.

Trois jours plus tard, j'embarquais comme quartier-maître. Afin de ne point attirer l'attention sur moi, je n'avais pas indiqué que j'avais déjà servi comme enseigne sur *Le Profond.* Possédant le grade juste au-dessus de matelot, je courais moins le risque de croiser René et donc d'avoir à révéler ma véritable identité. Je savais pourtant que le travail serait plus dur, mais cela ne me rebutait pas.

Dès que nous eûmes dépassé Mer Bonne, le bosco rassembla les cent vingt-cinq matelots sur le gaillard d'arrière pour leur faire son discours. Il nomma les quartiers-maîtres. Un nom vrilla mes tympans : Fantin Rozon. Je baissai aussitôt la tête. Mais lorsque le bosco annonça : Henri de Pusay, je me composai un visage dur et sévère pour que les gars ne se disent point qu'ils avaient affaire à une poule mouillée qu'ils pourraient rouler à leur aise. Mon regard croisa alors celui de Fantin qui me dévisageait. Je surpris son sourire ironique. Il m'avait reconnue. Je dois avouer que cela ne me déplut pas. Je savais qu'il ne me trahirait pas et avoir un ami dans la place était, somme toute, assez réconfortant.

À l'heure du dîner, lorsqu'un marmiton nous eut donné une louche de soupe dans notre gamelle, Fantin s'arrangea pour se coller à mes basques. Lorsque je m'assis sur un rouleau de cordage pour manger à mon aise, il s'accroupit à mon côté. Nous n'étions pas seuls. Sur un bateau, impossible de l'être, et d'autres matelots s'étaient installés à proximité. Aussi, Fantin marmonna sans me regarder :

— Alors, comme ça, tu t'appelles Henri.

— Oui-da, lui répondis-je.

— J'ai connu à Saint-Malo une demoiselle qui avait nom Henriette.

— C'est... ma sœur.

— C'est bien ce que je me disais, car vous vous ressemblez beaucoup.

— Pas tant que ça, grognai-je au cas où notre conversation serait entendue.

— Certes, tu es plus costaud et plus grand. Normal, tu es du sexe fort, et pas elle !

Un rire gras éclata dans mon dos, mais je ne me retournai point.

J'espérais que Fantin n'allait pas me harceler de ses plaisanteries à double sens, sinon ce ne serait pas vivable. Je lui lançai un regard lourd de reproches, mais il avait un visage si faussement innocent que, malgré moi, je souris.

Je n'étais pas au bout de mes surprises.

Alors que les matelots de mon équipe récuraient le pont et que moi-même j'astiquais les poulies, je fus bousculée par un officier qui se dirigeait vers le gaillard d'avant tout en bavardant avec un sien collègue.

— Mes excuses, moussaillon, je ne t'avais point vu.

Il était rare qu'un officier s'excusât devant un simple matelot, mais le plus curieux, c'est que cette voix m'était familière. Se pouvait-il que...

Je me redressai. Il me reconnut aussitôt :

— Henri ! Toi, ici ! C'est à peine croyable !

— Je suis aussi étonné que toi de te voir sur ce vaisseau. Je te croyais à Paris.

— J'y étais, mon ami. Las ! je m'y suis si fort ennuyé que j'ai décidé de reprendre la mer. Comment se fait-il que tu sois avec les matelots ?

— Oh, c'est une longue histoire, mon cher Basile, et...

— Je vais de ce pas intervenir en ta faveur auprès du capitaine pour que tu regagnes le rang qui te revient parmi les officiers.

Je lui pris le bras et je l'entraînai à l'écart afin de poursuivre notre conversation plus discrètement.

— N'en fais rien, je t'en prie. Il est préférable que le capitaine ignore ma présence à bord.

— Aurais-tu quelque chose à te reprocher ? s'inquiéta-t-il le sourcil froncé.

— Une histoire de... de femmes. Je... je me suis battu en duel pour les beaux yeux d'une jouvencelle et j'ai eu le malheur d'occire un gentilhomme de haut lignage.

Luc-Henri m'avait, autrefois, conté une histoire de ce genre et je m'en inspirais pour construire ma menterie. Je terminai dans un souffle :

— Je suis recherché par la police. Mon intérêt est d'être le plus discret possible. C'est pour cela que j'ai embarqué comme quartier-maître.

— Ah, ah, se moqua-t-il, mes leçons ont porté leurs fruits !

— En effet, et c'est grâce à toi que j'ai pu porter l'estocade mortelle.

— Je rends hommage à ton courage. Si tu as besoin de moi, n'hésite pas.

Il me tapa sur l'épaule avant de rejoindre son compagnon qui l'attendait un peu plus loin, l'air chagrin. Il devait trouver fâcheux et pour le moins étrange qu'un officier perde du temps à parler à un matelot.

Il me parut que cette campagne commençait sous les meilleurs auspices.

# CHAPITRE 16

Nous étions en mer depuis trois jours et j'avais du mal à être acceptée par les matelots de ma bordée.

Il est vrai que je jurais moins facilement qu'eux, bien que je m'appliquasse à lancer de temps à autre quelques « tripedieu, ventrediable et mordieu » qui m'écorchaient la bouche, et que je peinais à vider d'un trait mon boujaron [1] d'eau-de-vie et à manger avec les doigts.

Un matin, alors que je laissais à mon matelot le hamac que je partageais avec lui, je surpris des murmures peu engageants de la part de ceux de ma

1. Un seizième de litre, la ration quotidienne d'un marin sur un navire.

bordée. Ils préparaient un mauvais coup. Mais lequel ?

J'aurais pu courir vers Fantin pour qu'il me protège ou encore me plaindre à Basile. Ce n'était point dans mon tempérament.

Comme de coutume, les gabiers se regroupèrent pour aller inspecter les gréements. L'un d'eux me bouscula exprès et siffla entre ses dents :

— Faut pas être un poltron pour monter là-haut !

Les autres ricanèrent en s'élançant dans les cordages.

Si je voulais faire taire leurs sarcasmes, je n'avais pas d'autre choix que de les suivre. Je les avais souvent observés et je me savais agile. En respectant bien la règle que j'avais entendue maintes fois le bosco leur répéter : « Une main pour le bateau, une main pour ta vie », je devrais me tirer d'affaire. Je n'hésitai point longtemps et à mon tour je m'accrochai aux cordages et je grimpai jusqu'aux haubans de misaine comme si j'avais fait cela toute ma vie. Pourtant, la peur me crispait le ventre et je serrais si fort les cordes qu'elles me déchiraient les mains.

Cramponnée au petit perroquet à proximité du nid-de-pie, je m'apprêtais à saluer l'homme de veille, histoire de manifester mon contentement. Mais il s'était assoupi. Je laissai alors flotter mon regard sur l'immensité de l'océan et une impression de puissance me gonfla la poitrine.

Soudain, dans le lointain, à l'endroit où le ciel et l'eau se confondent, j'aperçus un point blanc. Sans plus réfléchir, je hurlai :

— Navire !

Ce qui réveilla en sursaut l'homme de veille qui, après m'avoir foudroyée d'un œil mauvais, reprit d'une voix enrouée par le sommeil :

— Navire !

Tous les yeux se tournèrent vers moi, autant ceux des matelots que ceux des officiers, des soldats, des volontaires qui arpentaient le pont. Quelques gabiers, furieux que j'aie réussi à les imiter, me décochèrent coups de pied et coups de poing, que j'évitais en dégringolant sur le sol comme si j'avais été une araignée suspendue à son fil. Je regrettais mon cri. Mon but était de me fondre dans la masse des matelots... et j'aurais dû me taire. Je me mordis la lèvre et baissai la tête après avoir enfoncé mon bonnet rouge jusqu'à mes sourcils.

— Où as-tu vu ce navire ? m'interrogea René Duguay-Trouin qui était précipitamment sorti de sa cabane [1].

— Par tribord devant !

1. Cabine.

— Viens-t'en avec moi, tu l'as bien mérité, me dit-il tout en faisant signe à son second de le suivre.

Et, sa longue-vue à la main, il se précipita à la proue pour observer le vaisseau. Je me tins trois pas derrière lui. C'était le meilleur endroit pour qu'il m'oublie. D'autres officiers nous rejoignirent, pressés de découvrir la nationalité du navire. Ami, on le saluait courtoisement. Ennemi, on l'attaquait sans vergogne !

— Si c'est un de ces chiens d'Anglais qui ont osé attaquer Saint-Malo... je lui réserve un bel accueil ! grommela René, l'œil rivé sur sa lorgnette.

De longues secondes s'écoulèrent, puis il s'exclama, l'index pointé sur l'horizon :

— Ventrebleu ! Des Anglais !

— Des Anglais ! Ils sont pour nous ! s'enthousiasma Basile.

— Ils sont trente escortés par un seul vaisseau de guerre ! continua René.

— Trente ! s'exclama un officier.

— Nous ne sommes pas de taille à lutter contre cette armada, se plaignit le second.

— Tstt, tstt, siffla entre ses dents René, agacé par la réflexion.

Il n'avait point baissé sa lorgnette et ajouta :

— Cinquante-six canons ! Nous en avons quarante. Ça devrait suffire. Faites hisser le pavillon anglais !

Il donna les ordres pour que *La Diligente* approche de l'un des navires marchands. Bientôt, il se saisit du porte-voix et, après les salutations d'usage, s'informa du chargement.

— Du charbon ! lui répondit-on.

Trente navires de charbon ! À quoi servirait une pareille prise ?

Déçu, le capitaine ordonna de prendre le large.

Les matelots grognèrent. Eux aussi étaient déçus. Ils étaient prêts à l'attaque et leur énergie, qu'ils ne pouvaient dépenser, les encombra. Des querelles éclatèrent, des coups s'échangèrent.

Je ne savais si je devais me féliciter que l'attaque n'ait pas eu lieu ou le regretter. Il est vrai que l'angoisse me nouait la gorge lorsque je pensais que je devrais, moi aussi, me battre l'arme au poing pour prendre le navire ennemi et défendre ma vie. Mais ce n'était qu'à ce prix que je pourrais accomplir la mission que je m'étais fixée : rendre richesse et honneur à mon père.

Je m'éloignai prudemment des lieux les plus bruyants et je m'accoudai au bastingage pour regarder la flotte anglaise s'éloigner. Si les navires marchands fuyaient toutes voiles dehors, le vaisseau d'escorte semblait vouloir nous tourner autour. Avait-il senti la feinte ?

Soudain, une main se posa sur la mienne. Je la retirai vitement en me tournant vers l'importun. C'était Fantin.

— Ah, Henriette, depuis que nous avons embarqué, je prie Dieu pour qu'il m'accorde un instant seul à seule avec vous.

— Chut ! Ici, je suis Henri, le grondai-je, Henriette n'existe plus.

— Je vous ai cherchée dans toute la ville... c'est parce que je ne vous ai point trouvée que je me suis laissé tenter par le beau langage d'un « enrôleur ». Jamais je ne me serais douté que c'était sur un corsaire que j'allais vous revoir.

— Je vous en prie, Fantin, oubliez que je suis une... une demoiselle. Je suis Henri, entendez-vous ?

— Jamais je ne pourrai, me répondit-il en cherchant à nouveau ma main, que je cachai rapidement derrière mon dos.

À ce moment-là, Basile surgit. Il avait dû surprendre le geste de Fantin, car c'est le sourcil froncé et l'air grave qu'il me questionna :

— Quelque chose ne va pas, Henri ?

— Tout... tout va bien, lui assurai-je.

Toisant Fantin, il l'invectiva :

— Monsieur, Henri est mon ami, et si vous lui cherchez noise [1], c'est moi que vous offensez.

— Tout doux ! se défendit Fantin. Henri... Henri est aussi mon ami et je ne lui veux aucun mal, au contraire...

1. Des ennuis.

— C'est ce que je redoute. Sachez, monsieur, que j'ai en horreur les mœurs italiennes [1] et que je ne pense pas qu'Henri les prise [2]. Aussi, je vous somme de vous tenir éloigné de lui !

— Les mœurs italiennes ! s'étrangla Fantin, rien que ça !

Craignant qu'il n'en dise trop, je le coupai d'une voix que la tension nerveuse fit monter dans les aigus :

— Messieurs, je vous en prie !

Basile était si énervé qu'il ne s'en aperçut même pas. Mais Fantin voulut saisir l'occasion de dévoiler la vérité et, me montrant du doigt, il ajouta :

— C'est à nous de vous prier, ma chère, de dire la vérité.

— Quelle vérité ? s'étonna Basile.

Le bruit énorme d'une déflagration m'empêcha de répondre.

— Tous à vos postes ! hurla le capitaine. Ce Saozon [3] vient de nous envoyer un coup de semonce. Il ignore à qui il a affaire !

Je m'échappai aussitôt pour me mettre sous les ordres du bosco. J'espérais que la discussion entre Fantin et Basile tournerait court, car il y avait pour l'heure des difficultés plus urgentes à résoudre.

1. On nommait ainsi à l'époque la pédérastie.
2. Apprécier, aimer.
3. Nom breton pour « Anglais ».

— Je vais lui jouer un petit tour à ma façon, expliqua René. Ce serait trop bête de se faire couler pour rien ! En panne ! cria-t-il.

Aussitôt, nous nous activâmes à carguer les voiles pour ralentir l'allure de notre frégate et à baisser notre pavillon à mi-drisse en signe de soumission. Croyant que nous nous rendions sans combattre, le vaisseau anglais ralentit lui aussi pour nous approcher. À cet instant, notre capitaine hurla :

— Toutes voiles dehors !

Et nous nous précipitâmes pour déployer notre voilure, ce qui nous fit bondir au-dessus des flots. Mais le navire anglais fut prompt à réagir et se remit à notre poursuite. Bien que nous arborions toujours le pavillon anglais, il se douta à cet instant que nous n'étions pas de son pays. René le laissa encore approcher en nous ordonnant de ramener les voiles, puis nous les remîmes aussi vitement que la première fois et nous bondîmes à nouveau sur les flots. Notre frégate, il faut le dire, était beaucoup plus légère et rapide que le lourd vaisseau de guerre destiné à protéger la flotte marchande. Cette chasse du chat et de la souris amusait l'équipage et les officiers. Moi, un peu moins. Je n'avais pas les mains tannées par des années de pratique et elles étaient en sang à force de tirer sur les drisses [1].

1. Cordages.

— Cet Anglais nous prend pour des poltrons refusant le combat ! s'énerva René. Hissez le pavillon fleurdelisé et coupons-lui la route !

Aussitôt, la manœuvre fut entreprise, nous nous trouvâmes devant le navire anglais de façon à l'obliger à combattre par sa proue dégarnie de bouches à feu. Nos canonniers à nous étaient fin prêts. Un ordre de René, et nous déchargeâmes sur le vaisseau ennemi une volée de boulets.

— Voilà pour te souvenir de Saint-Malo ! s'exclama notre capitaine.

Des cris de joie retentirent sur *La Diligente.*

— Gonflez les voiles ! ordonna encore René, on file !

Huniers, misaine, civadière et brigandine d'artimon furent bientôt toutes aux vents et, avant que l'Anglais n'ait eu le temps de se positionner pour que ses canons nous atteignent, nous doublâmes notre allure et, en quelques minutes, nous fûmes hors de sa portée et bientôt hors de sa vue.

Notre capitaine exultait du bon tour qu'il venait de jouer et la bonne humeur régna à bord jusqu'au soir. Je la partageais avec les matelots. En criant « navire » avant l'homme de veille et en étant félicitée par le capitaine, j'avais acquis une petite notoriété que certains étaient heureux de partager avec moi, même si d'autres me jalousaient.

— Nous, les gabiers, on est les meilleurs ! me dit un garçon sensiblement de mon âge.

— Ouais, sans nous, le navire, y bougerait point... parce que les officiers y sont pas capables de monter là-haut ! assura un gamin maigre.

— Toi, on a cru que t'étais un péteux peureux... et puis non, t'es comme nous.

— Sauf que tu sais ni jurer ni boire... s'étonna un gabier que je reconnus comme l'un de ceux qui m'avaient asséné des coups de pied lorsque j'étais près du nid-de-pie.

Je leur servis la fable que j'avais mise au point lors de ma première traversée :

— C'est que mon père voulait que je devienne prêtre. J'ai été élevé par les jésuites... Je me suis enfui l'année dernière pour naviguer... parce que je préfère la mer à la prêtrise.

— Ah, ça pour sûr, c'est pas pareil...

— Et tu verras qu'on apprend plus vite à boire et à jurer qu'à chanter la messe en latin !

Ils éclatèrent de rire et je les suivis pour faire bonne figure.

CHAPITRE

# 17

Mon existence à bord devenait difficile.

Ce n'était pas de grimper dans la voilure ni de partager le maigre repas des matelots qui me coûtait le plus, d'autant qu'au fil des jours ils avaient fini par m'accepter comme un des leurs, c'était de mettre toute mon énergie et ma ruse à éviter de croiser Fantin qui ne pouvait s'empêcher, chaque fois que cela se produisait, de me couler un regard amoureux. J'ai honte d'avouer que ce regard me faisait le plus grand bien du monde, car il était le tout premier à se poser ainsi sur moi. Parfois, je me disais que le jour où nous toucherions terre, je céderais aux avances de Fantin et que nous nous marierions. Alors même que j'en étais à compter le nombre de marmots que nous aurions, une voix, venue de je ne sais où, me rappelait à l'ordre : « Voyons, Henriette, et ton père... tu ne peux le laisser souffrir dans le déshonneur. » Cette même voix ajoutait perfidement : « Et Luc-Henri, n'aimes-tu plus Luc-Henri ? » Alors mon cœur se déchirait et je mordais ma chemise rouge pour retenir mes sanglots. L'amour de Fantin n'était point pour moi.

Et lorsque, par malheur, je tombais sur Basile, il me donnait une bourrade affectueuse dans les côtes et me grondait :

— N'hésite pas à m'appeler si ce... ce Fantin t'importune. Je ne serais pas fâché de lui faire tâter de mon poing !

Je le remerciais.

La troisième personne à éviter était René Duguay-Trouin. Il avait voulu m'attacher à son service pour me gratifier d'avoir crié « navire » alors que l'homme de veille s'était assoupi. Affolée à l'idée qu'il me reconnaisse, j'avais demandé à Basile qu'il m'aide à sortir de ce mauvais pas.

— À cause de ton duel ? m'avait-il dit. Le capitaine n'en sait sans doute rien.

— Oui, mais s'il l'apprend... il me mettra aux fers avant que j'aie eu le temps de lui prouver ma vaillance. Je t'en prie, Basile, invente un conte pour me permettre d'éviter cette distinction.

J'ignore comment il s'y prit, mais, un soir que j'étais de quart, je croisai notre capitaine. Je baissai aussitôt la tête dans un mouvement qu'il prit pour de la modestie, car il me dit :

— Vous avez nom Henri, c'est cela ?

— Oui, mon capitaine.

— Vous êtes un fier et modeste matelot et j'aime ça. Et préférer partager l'existence de vos semblables au confort que je vous proposais est tout à votre honneur.

Je devais être aussi rouge que mon bonnet. Fort heureusement, René ne s'attarda pas et avança à grandes enjambées vers le timonier.

Nous n'avions point croisé d'autres navires depuis plusieurs jours et, comme toujours dans ce cas-là, l'équipage s'occupait à jouer, à chiquer du tabac, à boire et à se quereller. Toutes ces activités que je ne pratiquais point m'isolaient des autres.

Basile vint me proposer de reprendre l'entraînement aux armes. J'acceptai. Cela me permettait de quitter pour une heure ou deux mes compagnons et leurs plaisanteries.

Nous étions une bonne dizaine à profiter des leçons de Basile, surtout des officiers, et je passais un agréable moment à me battre dans les règles de l'art. Pourtant, lorsque Fantin m'aperçut un sabre à la main, ses yeux s'agrandirent de stupeur. Il dut se poser beaucoup de questions sur moi et douter véritablement de mon sexe. Je pense même qu'il crut être tombé amoureux d'un homme ayant revêtu, sur les remparts de Saint-Malo, des habits de femme pour une sombre raison.

Que faire ?

— Alors, Rozon, s'exclama Basile, admirez un peu comment Henri attaque et se défend des opportuns !

Il me porta un coup que j'esquivai comme il me l'avait appris, puis en une large fente, je lui touchai l'épaule. Je crois qu'il fit exprès de me laisser gagner ce point pour montrer à Fantin de quoi j'étais capable s'il m'approchait de trop près.

Fantin me lança un regard douloureux qui me transperça le cœur, puis il quitta le pont.

Basile éclata d'un rire vainqueur que je ne pus supporter.

Il avait baissé sa garde. Sans plus réfléchir, je glissai trois pas vers lui, me fendis et lui portai un coup sec sur le bras droit.

— Mordieu ! jura-t-il.

Son cri me ramena à la réalité et je me précipitai vers lui :

— Seigneur, je t'ai blessé ?

— Ce n'est rien, me répondit-il, agacé. C'est ma faute. J'ai relâché mon attention.

Voyant du sang perler à travers la déchirure de sa chemise, je lui conseillai :

— Il faut te faire panser par le médecin avant que cela ne s'infecte.

— Tu parles comme une femme ! me reprocha-t-il. C'est une égratignure. Elle guérira toute seule.

Cette situation épuisait mes nerfs.

Un matin, il devait être un peu plus de quatre heures car la cloche annonçant le changement de quart [1] venait de tinter, je regagnais le branle [2] que je partageais avec mon matelot qui, déjà debout, montait l'échelle pour accéder au pont. La nuit avait été éprouvante. La brume était tombée, enveloppant le navire dans une sorte de linceul angoissant. Le capitaine et le second avaient surgi chacun à leur tour sur le pont, leur lunette à la main, et avaient grogné le même genre de phrase :

— On n'y voit goutte... Faut pas se laisser surprendre, sinon...

Un peu avant quatre heures, la brise s'était levée et les voiles épais s'étaient déchirés. J'étais donc un peu plus sereine. Je bâillai et je m'allongeai avec satisfaction à la place du garçon avec qui j'étais

1. Les quarts se relèvent de midi à six heures, de six heures à minuit, de minuit à quatre heures du matin, de quatre heures à huit heures et de huit heures à midi.

2. Branle ou hamac.

amatelotée [1] et je m'endormis aussitôt. Il y avait bien longtemps que les bruits du navire ne m'empêchaient plus de dormir : craquements des planches, claquements des cordages, chocs des vagues sur la coque, ronflements des dormeurs. Le calme de Saint-Cyr était bien loin !

Un cri nous éveilla en sursaut :

— Branle-bas de combat !

N'ayant pas à nous vêtir puisque nous dormions tout habillés, nous fûmes sur le pont en deux minutes, aussi excités que des puces sur le dos d'un chien.

— Trois navires hollandais, nous annonça le bosco, dont un gros galion. Le capitaine assure que ce sont des marchands qui reviennent de la Chine et que leurs cales regorgent de richesses.

Au seul mot de richesses, des exclamations de joie retentirent et quelques bonnets s'élevèrent au-dessus des têtes. À notre drisse flottaient traîtreusement les couleurs de la Hollande que le capitaine avait fait hisser peu avant. Cependant, au premier tir de sommation, le capitaine fit monter le pavillon blanc à fleurs de lys. Les Hollandais savaient à quoi s'attendre.

— Tous à vos postes ! s'époumona le capitaine.

1. Sur un navire les matelots vont par deux. Ils partagent le même hamac puisqu'ils ne travaillent pas en même temps. On dit qu'ils sont amatelotés.

Les aides-canonniers se ruèrent vers les sabords, les mousses se précipitèrent vers la sainte-barbe pour y chercher de la poudre. On courait en tous sens. Toutefois, chacun savait parfaitement ce qu'il avait à faire.

Après mon exploit, le capitaine m'avait promu gabier d'artimon. Il m'avait remis un sifflet et c'est moi qui commandais ceux qui avaient en charge le mât et les voiles d'artimon. C'était une situation enviable, car je restais au pied du mât, le nez en l'air, à vérifier si tout se passait bien, grimpant seulement lorsque le besoin s'en faisait sentir. Je soufflai dans mon instrument et je criai :

— Tous les gabiers en haut !

Je jetai un œil par-dessus bord. Nous avions coupé la route au galion dont je voyais l'imposante coque et la voilure énorme se profiler à quelques toises de nous. Je compris que si nous étions vainqueurs de celui-ci, les autres se rendraient, car ils n'avaient guère moyen de nous combattre. J'allais assister à mon premier combat naval et, pour conjurer le mauvais sort, je me signai. Je ne pus cependant m'empêcher de frissonner.

— À démâter ! hurla le capitaine.

Je l'entendis expliquer à son second :

— Contre des vaisseaux de ligne, le tir à couler ne vaut rien. Au lieu qu'un joli feu à démâter, qui vous jette à plat vergues et toile, vous change le plus puissant navire en épave !

— Pointez juste ! ordonna-t-il aux chefs de pièce. Feu de bordée !

Le bruit énorme des canons tirant tous ensemble m'explosa dans les oreilles et dans le ventre. La fumée me suffoqua.

— Laissez porter ! cria le capitaine après s'être raclé la gorge.

L'ordre était pour le timonier de barre et pour moi. Je sifflai et les voiles furent manœuvrées pour être vent arrière. Notre frégate s'élança sur les flots tandis qu'une effroyable détonation ébranla l'air et qu'une rafale de boulets, tirée par l'ennemi, cribla la mer à trente toises derrière notre poupe.

Nous poussâmes quelques cris de victoire qui étaient plutôt de soulagement. Grâce à notre manœuvre, notre frégate était indemne. Mais qu'en était-il du bâtiment hollandais ? Nous n'y voyions goutte tant la fumée du tir de nos canons et celle des canons ennemis étaient denses. René avait l'œil rivé à sa lunette et nous l'œil rivé sur notre capitaine.

Un souffle de vent dispersa la fumée et René s'exclama :

— Mât d'artimon et de misaine abattus ! Hardi, les gars, il est à nous !

Le bosco ouvrit les coffres et nous nous précipitâmes pour saisir fusils, pistolets, poignards et sabres. À cet instant, Fantin me bouscula pour m'empêcher de saisir une arme et me supplia :

— Je vous en prie, laissez cela... vous n'êtes pas à votre place.

Je n'eus pas le loisir de lui répondre, un groupe excité nous sépara. Je m'emparai d'un sabre, et lorsque je me retournai, c'est Basile que je vis.

— Pense bien à ta garde, et pas de quartier ! me dit-il.

Je souris. Ces deux hommes ne pouvaient pas être plus différents. En une fraction de seconde, je me rendis compte que je les aimais tous les deux également. Pourtant, ce que j'éprouvais pour eux n'était en rien comparable à ce qui me liait à Luc-Henri. Mais l'heure n'était point aux sentiments.

René avait saisi lui-même la barre des mains de son timonier et avait manœuvré pour coller sa coque contre celle du galion, après quoi il hurla pour dominer le tumulte :

— À l'abordage !

Un sabre dans une main, un pistolet dans l'autre, il fut le premier à sauter sur le pont ennemi. Par je ne sais quel hasard, j'étais juste derrière lui. Le spectacle qui s'offrit alors à moi me glaça. Des corps par centaines gisaient, qui sans bras, qui sans tête, qui sans jambe, dans des mares de sang. Certains avaient été pulvérisés par nos canons, d'autres avaient été écrasés, étouffés par tout ce qui était tombé de la mâture du vaisseau : vergues, voiles, cordages, agrès enchevêtrés et empilés. Les écoutilles s'en trouvaient obstruées et cela gênait la sortie des soldats.

— Pas de quartier ! cria René.

Protégés par le gréement abattu, nos artilleurs faisaient feu, mais il nous parut que pour un Hollandais de tué, cent autres arrivaient de nulle part.

— Ces diables sont plus de mille ! s'étonna même René. Frères, à moi ! nous encouragea-t-il en quittant son lieu de retranchement.

Tous ceux qui étaient derrière la barricade se jetèrent sur l'ennemi. Je fis comme eux. Une seconde plus tard, j'étais face à un Hollandais le sabre levé au-dessus de la tête, prêt à me frapper. Sans réfléchir, je me fendis et lui plantai mon arme dans le corps. Il s'effondra à mes pieds. Un frisson d'horreur me parcourut. Mais déjà un autre dirigeait son couteau vers ma gorge. Je l'esquivai de justesse et j'entendis Basile me crier :

— Bravo !

Je continuai à avancer aux côtés de René qui sabrait têtes et bras avec une déconcertante facilité. Il était à trois pas sur ma main gauche, lorsque je vis un soldat ennemi, monté sur le beaupré fracassé, le mettre en joue. Je hurlai :

— René, gardez-vous à gauche !

Instinctivement, il se baissa et la balle lui ôta seulement son chapeau.

— Chien ! jura-t-il.

Il me lança un regard interrogateur. Son prénom m'avait échappé. (Je l'avais si souvent prononcé lorsque, enfants, nous jouions aux corsaires, Luc-Henri, René et moi.) Je m'en mordis les lèvres, mais il était trop tard. De plus, j'avais perdu mon bonnet dans l'action et mes cheveux, quoique attachés par un lien de chanvre, pouvaient me trahir.

M'avait-il reconnue ? Je n'eus pas le temps d'approfondir la question et lui non plus.

Il se rua sur le soldat en poussant un cri de bête et le décapita. Je détournai les yeux.

— Reculez, reculez ! m'ordonna Fantin, vous allez y perdre la vie !

— La vie m'importe peu ! Je veux participer à la bataille pour mériter ma part de butin !

— Ainsi, c'est l'appât de l'or qui vous motive, me dit-il, déçu.

— Pas vous ? lui rétorquai-je.

Il ne me répondit point, car trois officiers, l'épée au clair, tenaient absolument à nous faire passer de vie à trépas. Je me défendis avec rage, et j'en tuai un, tandis que Fantin bataillait pour occire les deux autres. Un sentiment de puissance me fit un instant tourner la tête et je crois bien m'être crue invincible.

Je ne sais trop comment mais, à un moment, il n'y eut plus de combattants ennemis sur le pont. Ce qu'il restait de Hollandais était descendu s'abriter à fond de cale.

— Qu'on les désarme et qu'on les enferme ! ordonna René.

Puis il se dirigea vers la grand-chambre du château de poupe afin de s'emparer des papiers de bord qui prouveraient qu'il avait conquis le vaisseau.

J'enfonçai vitement sur ma tête un bonnet ramassé sur le sol.

À présent, nous étions tous, sabres, épées, poignards sanglants à la main, assez décontenancés. Je regardai autour de moi tous ces cadavres et je réprimai un haut-le-cœur. Je n'avais pas imaginé pareille tuerie. Étais-je vraiment faite pour cette vie-là ? Je n'en étais plus si sûre. Aurais-je le courage de poursuivre l'aventure, si la richesse et l'honneur étaient à ce prix ?

Avec quelques matelots, nous aidâmes le médecin du bord à transporter les survivants jusque sur *La Diligente* pour les soigner.

Soudain, je l'aperçus dans une mare de sang.

— Basile ! criai-je en m'agenouillant à son côté.

Mais il ne m'entendit pas. Il était mort. Je pleurai sans retenue la perte de cet ami. Le médecin me houspilla :

— Quand tu auras fait quelques batailles, tu t'endurciras, mon garçon ! Pour lui, c'est fini, mais y'en a d'autres qu'on peut sauver !

Je me redressai et je me remis avec les autres en quête de nos blessés.

## CHAPITRE

# 18

Ceux qui avaient péri furent basculés dans la mer après qu'on les eut dûment lestés de boulets ou de pierres et qu'on eut récité la prière des morts.

Lorsque le tour de Basile de Bournonville arriva, j'eus du mal à contenir mon émotion. Nous avions fait un bout de chemin ensemble et c'est grâce à lui que je savais me battre. Il avait été comme un frère. Je priai de toute mon âme pour qu'il soit accueilli au paradis.

Fantin s'était approché de moi et me serra le coude discrètement. J'appréciai son geste. C'était un peu comme si les deux hommes s'étaient réconciliés.

La cérémonie fut brève. Nous n'avions pas de temps à perdre avec les morts quand il fallait s'occuper de notre prise et surtout des deux autres navires qui, profitant de l'attaque du *Grénédan,* leur galion, avaient fui toutes voiles dehors.

— Ils ne peuvent pas être loin. Ils sont trop chargés ! avait annoncé le second.

Les ordres furent lancés et la chasse-partie s'organisa.

J'allais aider les gabiers en montant dans les haubans lorsqu'un officier m'arrêta :

— C'est toi, le gabier d'artimon Henri ?

— Oui-da, acquiesçai-je sèchement.

— Le capitaine t'attend sur le tillac [1].

Aussitôt, mon cœur s'emballa. M'avait-il reconnue ? Comment allait-il réagir ? L'inquiétude me paralysa un instant, j'avais été sotte de penser qu'une fille pouvait prendre la place d'un homme sans se faire remarquer. René allait peut-être me reprocher vertement mon inconscience, se moquer de moi, ou, pire, me mettre aux fers à fond de cale pour avoir osé lui mentir. À la première escale, il me débarquerait et je ne serais plus alors qu'une misérable sans famille et sans avenir.

Cette perspective me donna comme un coup de fouet et c'est l'esprit frondeur que je me présentai à lui.

1. Le pont supérieur.

Il me laissa approcher sans un mot. La tête haute, je ne baissai pas le regard lorsqu'il me dévisagea.

— Ainsi donc, c'est bien toi ! lâcha-t-il après un silence qui me parut une éternité.

Il ne servait à rien de nier et je répondis fermement en me campant devant lui :

— C'est moi.

Il éclata d'un rire tonitruant.

— Si je m'attendais un jour à trouver sur mon vaisseau la donzelle qui, autrefois, m'avait jeté à la mer pour s'emparer de ma barque...

— Déjà à cette époque, j'avais l'étoffe d'un corsaire...

— Et tu n'as point changé ! Toujours aussi fière.

— La fierté est mon seul bagage.

— Et le courage aussi, ajouta-t-il. Sans toi, je ne serais peut-être plus de ce monde.

Je haussai les épaules.

— Je te croyais dans la Maison Royale d'éducation de Saint-Cyr, prête à devenir religieuse.

— J'y étais. Mais la vie de nonne n'est pas pour moi.

— Décidément, c'est de famille ! s'exclama-t-il. Luc-Henri a lui aussi abandonné la prêtrise. D'ailleurs, j'étais persuadé que vous alliez vous marier tant vous sembliez être faits l'un pour l'autre.

Cette phrase ouvrit la plaie de mon cœur qui commençait juste à se refermer. Je me raidis et assurai :

— Luc-Henri a épousé une riche veuve. Il a eu raison. Je n'ai pas de dot et aucune espérance d'héritage.

— Je reconnais que si l'on n'a aucune fortune personnelle, la vie est impossible, sauf si l'on va chercher l'or sur les mers en devenant corsaire. C'est le parti que j'ai choisi.

— C'est celui que j'ai choisi aussi.

— Ce n'est point la place d'une demoiselle.

— Je veux rendre honneur et richesse à mon père qui a tout perdu en servant le roi, répliquai-je. Moi, je n'ai rien à perdre, sauf la vie qui m'est un fardeau. Alors, en souvenir de notre amitié d'enfants, je te supplie de ne point révéler ma véritable identité et de me garder sur ce vaisseau où je te servirai de mon mieux. Si Dieu le veut, et si nous faisons de bonnes prises, je reviendrai à Saint-Malo remettre à mon père la part de butin que j'aurai gagnée.

Il prit mes mains dans les siennes et je sentis à sa voix que l'émotion le gagnait :

— Ma chère Henriette, tu as le cœur le plus noble qui soit. Et, pour te remercier de m'avoir sauvé la vie et te prouver que je ne doute pas de ta vaillance, je te nomme enseigne.

J'allais protester, mais il poursuivit en accentuant la pression de ses mains :

— Nous avons subi de nombreuses pertes lors de l'attaque de ce vaisseau anglais et tu remplaceras avantageusement l'un des enseignes morts au combat. Tu sais lire, compter, et je gage que tu apprendras vite à manipuler un compas sur une carte et à définir la bonne latitude en regardant les étoiles...

— Pour sûr !

— Alors, la chose est entendue !

— Ne penses-tu pas que cette si rapide promotion fera clabauder [1] l'équipage ?

— Diantre ! Je suis le capitaine et le seul maître à bord ! Mes décisions ne se discutent pas.

Tout à coup, la vigie cria de son nid-de-pie :

— Navire !

— Ce sont nos deux fuyards, le *Francis-Samuel* et *Le Sept-Étoiles,* souffla René avant de crier dans son porte-voix :

— À vos postes, tous !

J'allais courir vers mes gabiers pour veiller à la manœuvre, lorsque René me retint par le bras en me disant :

— Le maître d'équipage désignera un autre gabier d'artimon. Tu restes à mes côtés.

1. Cancaner, dénigrer.

— Je refuse ta protection ! me rebiffai-je, je veux me battre comme les autres.

— Quel mauvais caractère ! se moqua-t-il. N'aie crainte, tu te battras ! Mais puisque tu rêves de devenir corsaire, tu apprendras mieux en étant avec moi qu'en grimpant dans la voilure.

Confuse de m'être emportée, je détournai la tête.

À cet instant, le second et trois officiers se présentèrent pour recevoir les ordres.

— Messieurs, je vous présente Henri de Pusay, leur dit René. Il m'a sauvé la vie tantôt et je viens de le promouvoir enseigne. Veillez à ce qu'il endosse dès à présent un costume en rapport avec sa fonction.

Personne n'osa contrarier le capitaine.

CHAPITRE

# 19

Cette attaque m'évita d'avoir à expliquer à Fantin ma nouvelle promotion. Il aurait pu s'imaginer que le capitaine, ayant découvert ma condition féminine, avait souhaité me garder à sa merci. Je me promettais, à la première occasion, de lui dire la vérité afin que ma réputation ne soit pas salie par de fausses suppositions.

Cette fois, la ruse ne fut pas de mise entre les deux vaisseaux marchands et nous. Ils comprirent, en nous voyant, que leur galion protecteur avait été coulé. Mais ils se préparèrent néanmoins à l'attaque, en gens de mer et d'honneur.

— Le *Francis-Samuel* n'a que vingt canons et *Le Sept-Étoiles* vingt-six, m'apprit René en me tendant sa longue-vue. On va attaquer le second et le premier se rendra sans combattre.

J'admirai sa maîtrise et son calme. Par une manœuvre parfaitement exécutée, nous coupâmes la route au *Sept-Étoiles* et lui envoyâmes une volée de boulets sans toutefois viser la coque. Il n'était pas question de le couler alors qu'il était plein de marchandises, mais seulement de l'obliger à se rendre. Ce qu'il fit. Il abaissa son pavillon en signe de soumission, et mit en panne afin que nous l'abordions. René avait saisi son porte-voix pour parler plus aisément à son capitaine. Je jetai alors un coup d'œil au *Francis-Samuel* qui me sembla agir curieusement pour un vaincu. En quelques minutes, il venait d'amener toutes ses voiles pour fuir l'endroit.

— Capitaine ! dis-je à René, le *Francis-Samuel* cherche à nous fausser compagnie.

— Le traître !

Vite, il ordonna à une partie de l'équipage de monter à l'abordage du *Sept-Étoiles* alors que nos deux coques étaient proches. Son second et quelques officiers s'en chargèrent. Puis il fit manœuvrer tout aussi promptement pour nous dégager de ce vaisseau marchand et courir sus au *Francis-Samuel*. Ce dernier mouillait chaque pouce de sa toile pour fuir plus vite [1].

1. On jetait des seaux d'eau sur les voiles pour en resserrer le tissu, qui avait alors plus de prise au vent.

Rouge de colère qu'un ennemi ait tenté de le rouler, René se tenait debout sur le tillac, à portée de tir, le sabre dans une main, la lunette d'approche dans l'autre. Il marmonnait pour lui seul :

— Ventrediable ! ce capitaine ne sait pas ce qu'il en coûte de m'échauffer ainsi la bile. Je vais lui mettre les tripes à l'air et piller son vaisseau jusqu'à la dernière petite cuillère en argent !

Nous rattrapâmes aisément le *Francis-Samuel* trop lourdement chargé. Selon une manœuvre qui lui était chère, René barra la route au navire marchand, puis, supprimant le tir de sommation, il ordonna :

— Armez tribord ! À démâter ! Et pointez juste ! Chefs de pièce, attention ! Feu de bordée !

Le petit hunier s'affaissa, entraînant le grand perroquet et le grand hunier. Le *Francis-Samuel* devenait ingouvernable. Il tenta de manœuvrer pour nous présenter ses canons prêts à tirer, mais, déjà, les canonniers avaient rechargé les nôtres et René qui était descendu près de ses hommes s'époumona :

— Feu !

Le tonnerre des canons se mêla au fracas de la mâture qui s'écroula.

Je ne montrais pas mon aversion pour le spectacle effroyable de ce vaisseau à l'agonie. Imaginer tous ces hommes broyés par les boulets et les mâts tombés m'était insupportable... même s'ils étaient nos ennemis. Curieusement, à cet instant, l'image de la chapelle de Saint-Cyr effleura mon esprit. N'étais-je pas en train de perdre mon âme en me battant comme un homme ? Discrètement, je me signai pour attirer sur moi le pardon divin.

Puis, tandis que la fumée et l'odeur de la poudre envahissaient *La Diligente,* René commanda :

— À l'abordage !

Ce cri me ramena à la réalité. Je n'étais plus une demoiselle de Saint-Cyr, j'étais Henri, un corsaire.

Comme les autres, je me ruai vers les coffres contenant les armes, où je saisis une épée, puis je grimpai sur le bossoir afin d'être la première à sauter sur le pont ennemi. Une façon sans doute de me prouver à moi-même que j'avais eu raison de quitter Saint-Cyr tout en montrant ma vaillance à René. Debout, je me composai un visage farouche en attendant que les deux coques soient suffisamment proches pour me permettre de bondir sur le *Francis-Samuel.*

Las, les coques se heurtèrent violemment et, déséquilibrée, je tombai à la mer. Je m'enfonçai dans l'eau glaciale, puis je refis surface au milieu des débris de toutes sortes. Je criai, mais je savais que c'était inutile. Personne ne m'avait vue tomber et, avec le bruit énorme du combat, personne ne pouvait m'entendre. J'allais donc périr et je priais pour recommander mon âme à Dieu. Je n'étais ni triste ni désespérée parce que je ne laissais sur cette terre personne qui m'aimât. Mon père peut-être me pleurerait, mais il me parut qu'il ne tarderait pas à me rejoindre dans l'au-delà. Je cessai donc de me débattre, et je me laissais couler lorsque deux bras vigoureux me saisirent, et, alors que mes oreilles se remplissaient d'eau, une voix me parvint :

— Vous ne craignez plus rien, Henriette, je suis là.

C'était Fantin.

Mon cœur se gonfla de reconnaissance. Il me tendit un filin, je le saisis des deux mains et je fus hissée hors de l'eau, tandis que les tirs de mousquets claquaient de tous côtés. Je crus qu'après avoir failli succomber noyée, j'allais mourir sous les balles ennemies. J'ignore pourquoi, Dieu m'épargna et c'est saine et sauve, mais tremblante, épuisée et honteuse que l'on me déposa sur le pont. Ma chevelure dénouée et lourde couvrait mes épaules et l'étoffe mouillée et déchirée de ma chemise laissait entrevoir ma gorge qui, quoique petite, était un signe de ma féminité. Les hommes qui m'avaient remontée s'éloignèrent de moi comme si j'avais été le diable. Je n'étais qu'une femme... mais sur un vaisseau, la superstition voulait que je sois celle qui allait les conduire à leur perte. René se précipita vers moi et me couvrit de sa veste. Puis il ordonna :

— Tous à vos postes ! Je vous livre le *Francis-Samuel* ! Il est à ceux qui le prendront !

En une fraction de seconde, les hommes d'équipage m'abandonnèrent pour se ruer sur le navire ennemi.

Voulant sans doute me conduire dans sa cabane, René se pencha vers moi pour me soulever. J'eus un instant le désir de m'abandonner dans ses bras pour retrouver la douceur d'être femme. Cette faiblesse ne dura point, car mon orgueil se rebiffa. Je n'allais pas me laisser emporter ainsi comme... comme une donzelle alors que le combat faisait rage ! Je me redressai d'un bond et lui dis :

— Ne vous souciez point de moi, allez de l'avant avec vos hommes ! Je me change et je vous rejoins.

Sa bouche s'arrondit de stupeur et il murmura, admiratif :

— J'apprécie ton courage !

Je ne possédais pas d'autre linge que celui que j'avais sur moi, aussi je revêtis mon ancien costume de mousse. Outre que la chemise rouge cachait mieux ma gorge que la chemise blanche des officiers, le bonnet dissimulait parfaitement ma chevelure. J'espérais, ainsi vêtue, que ceux qui avaient découvert mon identité ne me reconnaîtraient pas.

Je pris le dernier pistolet qui restait dans le coffre et je me jetai à mon tour dans la bataille. Je cherchai Fantin des yeux pour lui exprimer toute ma reconnaissance et me battre à son côté, car il me sembla que c'était à mon tour de lui prêter main-forte. Mais il y avait un tel mélange de corps en train de lutter, de fumée, de mâts tombés, de planches arrachées que je ne le vis point, d'autant que mon attention se portait surtout à éviter les tirs de mousquets et les coups qui pleuvaient de tous côtés. René fit en sorte d'être toujours devant moi pour me protéger. C'était fort chevaleresque.

À un moment, un tir le toucha à l'épaule. Il grimaça. Son regard d'aigle dénicha immédiatement le coupable. C'était le capitaine du *Francis-Samuel* qui venait de tirer du haut de la dunette. Il se précipita sur lui, le sabre d'abordage à la main, et le décapita avant que l'autre ait compris ce qui lui arrivait.

— Rendez-vous ! hurla René qui se tenait maintenant sur la dunette. Vous n'avez plus de capitaine !

Comme s'ils n'attendaient que cet ordre, l'équipage baissa les armes.

On enferma les survivants dans les cabanes des officiers pendant que René, trois officiers, le canonnier et un charpentier descendaient dans les cales pour découvrir leur butin.

J'entrepris alors de chercher Fantin. À dire vrai, j'étais inquiète. Je priais pour qu'il n'ait pas été tué en me portant secours. La victoire et la richesse au prix de la perte d'un ami, c'était au-dessus de mes forces.

René, le bras gauche en écharpe, m'appela et m'entraîna à sa suite :

— Viens-t'en voir ce pour quoi tu as lutté ! me proposa-t-il.

Afin de ne pas le décevoir je le suivis. J'aperçus quelques regards curieux ou même réprobateurs parmi ceux qui l'accompagnaient, mais personne ne pipa mot.

Avec son sabre, René éventra un coffre, puis deux, puis trois, d'où s'échappèrent des pièces d'or qui s'écoulèrent à nos pieds comme fontaine.

— Diantre ! s'écria René, il y en a au moins pour cent quarante mille livres !

Il ouvrit ensuite plusieurs coffres pleins de lingots qui brillèrent de mille feux lorsqu'on approcha une chandelle pour mieux les compter. L'officier s'arrêta à cent en éclatant de rire.

Dans d'autres coffres, il y avait des pierreries, des étoffes de belle soie, et, dans de grands sacs, des épices.

Tous ceux qui étaient là riaient, se donnaient de grandes claques dans le dos, se serraient la main.

— Vrai ! C'est une belle prise ! se vanta un officier.

— Pour sûr, ajouta René, nous voilà tous riches, car même après avoir remis la part du roi et de l'avitailleur [1], chacun recevra une bonne part, le dernier des mousses compris.

Il se tourna légèrement vers moi et me sourit. Je lui rendis son sourire. Je venais, grâce à lui, de réaliser la première partie de ma mission : devenir riche pour éponger les dettes de mon père et doter ma sœur.

La seconde partie restait à accomplir : rendre l'honneur que mon père avait perdu dans la défaite de la Hougue. Mais je ne voyais pas comment réaliser cet exploit. L'honneur est beaucoup plus difficile à atteindre que la richesse.

Je remontai de la cale, la tête à la fois pleine des éclats de l'or, des interrogations sur mon avenir et des angoisses concernant Fantin.

Je posais le pied sur la dernière marche de l'échelle me conduisant à l'air libre lorsqu'une silhouette se découpa dans la lumière orangée du soir qui tombait.

— Fantin ! m'exclamai-je.

Sans plus réfléchir, je me blottis dans ses bras, qu'il referma sur moi.

Pour l'heure, j'étais si soulagée et heureuse de le voir en vie que la réaction de l'équipage m'indifféra.

1. Celui qui fournit le navire en matériel et en nourriture.

CHAPITRE

# 20

Je pense que ceux qui n'étaient point au courant de mon état de femme s'indignèrent de mes mœurs et que les autres durent sourire de ma frivolité. Mais aucun ne se plaignit à notre capitaine, car tous avaient compris que j'étais sous sa protection.

René Duguay-Trouin sortit à son tour de la cale et ordonna :

— Revenons sur *La Diligente,* je m'en vais vous donner mes consignes.

Comme je n'avais aucun grade important, j'hésitais à le suivre. Mais il me dit :

— Toi aussi, Henri de Pusay, et toi aussi, Fantin Rozon.

Nous le suivîmes. Je supposais qu'il allait répartir au mieux l'équipage et les officiers afin de pouvoir ramener le *Francis-Samuel* à Saint-Malo. Une partie de ses officiers était déjà à bord du *Sept-Étoiles* pour le même motif, d'autres avaient péri dans l'attaque et il devait en garder avec lui pour *La Diligente.* Le peu d'hommes capables de piloter le *Francis-Samuel* se regardaient par-dessous, en se demandant qui aurait le bonheur d'être choisi.

René n'hésita pas. Il avait sans doute fait son choix depuis longtemps.

— Boyne sera votre capitaine, commença-t-il.

Boyne s'inclina légèrement en guise de remerciement. C'était un homme grand et sec d'une quarantaine d'années. J'avais entendu dire de lui qu'il avait un fort méchant caractère, mais pour la conduite d'un navire cela n'avait pas grande importance.

— Pusay sera le second, poursuivit-il.

Je m'étais si peu attendue à entendre mon nom que je rougis comme si j'étais prise en faute. J'ouvris la bouche pour protester. Boyne le fit avant moi :

— Est-ce raisonnable, capitaine, de confier ce poste à...

Il s'arrêta, hésitant sans doute à me donner du « monsieur ».

René lui coupa la parole sèchement :

— Ce monsieur, dit-il en appuyant sur le mot « monsieur », nous a prouvé son courage. De plus il sait lire une carte, tenir un compas et il connaît les astres... toutes les qualités qu'on exige d'un second.

Boyne ne broncha pas. Quant à moi, la stupeur me paralysa.

— Rozon sera votre maître d'équipage, termina René.

Fantin, lui, sourit de toutes ses dents et déclara :

— Merci, capitaine, je saurai me montrer digne de votre confiance.

— Je l'espère, en vérité. Je vous confie le *Francis-Samuel* : c'est un bon vaisseau. Les charpentiers vont s'occuper de remettre en place l'artimon et la grand-voile. La misaine a trop souffert, il faudra vous en passer. Les maîtres voiliers rafistoleront les toiles. Nous chargerons sur *La Diligente* une partie de la cargaison pour l'alléger et ainsi vous pourrez nous suivre sans difficulté. Bientôt, nous pénétrerons dans Mer Bonne ensemble sous les vivats de la foule !

En passant devant lui pour monter sur le *Francis-Samuel,* je murmurai :

— Merci, René, je...

— Tu es un véritable corsaire, je le sais, me répondit-il.

Et c'était le plus beau des compliments.

Il fut fait comme il l'avait dit.

Et ce n'est pas sans émotion ni une certaine appréhension que je montai à bord du *Francis-Samuel* avec le grade de second et l'uniforme correspondant. Rozon s'occupa vaillamment de reconstituer un équipage en engageant nombre de Hollandais prisonniers. Ils ne rechignèrent d'ailleurs pas, préférant travailler au grand air plutôt que de croupir dans l'humidité de la cale. Et puis c'était la coutume dans la marine de servir le mieux possible celui qui était aux commandes du vaisseau, fût-il, la veille, votre ennemi. Les charpentiers et les maîtres voiliers se mirent à l'ouvrage et, en quelques jours, le *Francis-Samuel* put à nouveau naviguer.

D'un tacite accord, Fantin me traita comme si j'avais été un homme. Il savait que c'était la condition pour que l'équipage obéisse et que nous menions le vaisseau à bon port. Cela me convenait. Lorsque nous étions seuls, parfois sa main s'égarait sur la mienne. C'était agréable et rassurant.

Heureusement, la présence de Fantin me réconfortait parce que Boyne était l'homme le plus désagréable que j'aie jamais rencontré. Il ne donnait ses ordres qu'en aboyant, refusait de me laisser approcher des cartes en assurant que j'étais trop jeune et inexpérimentée, invectivait les hommes d'équipage et reprochait à Fantin de n'avoir aucune aptitude au commandement. Lorsqu'il ne criait pas, il restait enfermé dans sa cabane à chiquer du tabac et à boire plus que de raison.

N'ayant pas d'autre choix, je prenais mon mal en patience. Nous voguions dans le sillage de *La Diligente* et *Le Sept-Étoiles* fermait la marche. J'avais hâte d'atteindre Saint-Malo pour aller annoncer à mon père que ses ennuis financiers étaient terminés. Ma mission achevée, j'entrerais dans un couvent. Je n'aurais sans doute pas assez de toute ma vie pour prier Dieu qu'il me pardonne d'avoir osé refuser quelque temps le sexe qu'il m'avait attribué. C'était le plus vil des péchés.

Trois jours plus tard, le vent se leva. La mer enfla et nous essuyâmes une tempête.

Boyne était malade comme un chien. Il rendait tripes et boyaux dans un seau qu'un jeune mousse maintenait au-dessous de sa bouche. Il aurait fallu prendre la cape [1], mais Boyne refusa pour ne pas se laisser distancer par *La Diligente*. Le *Francis-Samuel* bondissait, puis plongeait dans le creux des vagues. Des paquets de mer s'abattaient sur le pont, renversant et assommant tous ceux qui s'y trouvaient. Quelques hommes se précipitèrent dans la cale pour arrimer coffres, barils, malles. La coque craquait, les

1. Diminuer la vitesse en descendant les voiles.

mâts grinçaient, les voiles étaient malmenées par les vents. *La Diligente* et *Le Sept-Étoiles* avaient disparu de notre vue.

Boyne restait enfermé dans sa cabane. Il m'avait affirmé que seul l'alcool venait à bout de ses terribles vomissements. Il usait abondamment de ce remède qui devait aussi conjurer sa peur. Nous courions à notre perte. Je n'y tins plus. Je montai sur le tillac et, une main agrippée à un cordage, je hurlai dans un porte-voix que je tenais dans l'autre :

— Amenez les voiles !

Ma voix n'avait pas la puissance de celle d'un homme, mais tous étaient si heureux d'entendre l'ordre espéré qu'ils obéirent immédiatement.

Le navire cessa aussitôt sa danse de mort. Il ne résista plus ni aux vents ni à la mer en furie, mais se laissa ballotter par les vagues. J'espérais que le timonier saurait tenir le cap afin que nous ne soyons pas trop déviés de notre route.

Boyne ne se montra pas.

Je ne fermai pas l'œil de la nuit, la mer était toujours aussi méchante. J'allais du timonier au bosco, de bâbord à tribord, de la proue à la poupe, encourageant les hommes à tenir bon et à prier la Vierge afin qu'elle nous protège. Je me cramponnais comme je le pouvais afin de ne pas être précipitée par-dessus bord par un mouvement du navire. Je craignais à chaque instant qu'une vague plus grosse et plus forte que les autres ne coupe notre navire en deux, que nos mâts, réparés rapidement, ne se cassent ou que le déplacement brutal des barils ou des coffres dans la cale ne provoque un trou dans notre coque.

À un moment où, trempée jusqu'aux os, glacée et échevelée, je passais à côté de Fantin, il me saisit la main et me souffla :

— Je crois que notre dernière heure est venue. Je ne pouvais pas rêver plus belle mort que de mourir avec toi.

Il se résignait bien vite. Je repris violemment ma main et je lui dis :

— Le *Francis-Samuel* est un vaisseau robuste. René me l'a assuré. Il tiendra.

Sans doute stimulé par ma détermination, il me répondit :

— Surtout si c'est toi qui le diriges.

Après deux jours et deux nuits de tempête, alors que j'avais fini par m'assoupir dans mon hamac, assommée de fatigue, c'est le calme soudain qui me réveilla. Je bondis sur le pont. La mer était d'huile. Je souris. Nous avions vaincu les éléments déchaînés !

Soudain Boyne fut devant moi, vêtu de propre, la perruque sur la tête :

— Je vous mets aux fers pour avoir dormi et déserté votre poste pendant la tempête ! hurla-t-il.

Mes vêtements qui avaient séché sur moi étaient froissés et sales, et j'avais les cheveux emmêlés et poisseux de sel. Tant d'injustice me fit bouillonner le sang et je criai :

— Ah, non, monsieur, c'est vous qui avez déserté en vous enfermant dans votre cabane !

— C'est différent, j'étais malade !

— Un capitaine qui ne supporte pas la grosse mer n'est pas digne de commander. À croire, monsieur, que vous n'avez jamais navigué.

— J'étais capitaine dans l'infanterie et c'est pour mieux servir le roi que je me suis engagé dans la marine.

— Pour mieux vous enrichir, surtout ! répliqua Fantin qui venait d'arriver.

Je m'aperçus alors qu'une grande partie de l'équipage s'était massée sur le pont et assistait à notre querelle. Des murmures de mécontentement se faisaient entendre ici et là et les regards qu'ils lançaient au capitaine n'étaient pas bienveillants.

— Il est vrai, monsieur, que l'on vous a peu vu pendant cette tempête. Sans la présence d'esprit de votre second, nous serions peut-être tous à cent pieds sous l'eau ! lança un volontaire que René avait choisi pour nous seconder.

— Je suis votre capitaine ! s'insurgea Boyne. Je peux tous vous mettre à fond de cale pour vous apprendre l'obéissance et le respect !

Il fit un vaste geste du bras, désignant l'équipage groupé en demi-cercle devant nous.

Les gars qui avaient fait de leur mieux pour maintenir à flot le navire n'apprécièrent pas d'être traités de la sorte et une voix forte s'éleva :

— Vous n'êtes plus notre capitaine !

Des vivats éclatèrent. Boyne rougit.

— Vous n'êtes pas ici dans la flibuste, se défendit-il, mais sur un vaisseau du roi de France. Je suis votre capitaine et je le resterai.

— Que nenni ! reprit la voix. Nous sommes corsaires et donc frères de la flibuste et un capitaine qui ne fait rien pour sauver son navire ne mérite pas son grade. C'est tout.

Des applaudissements crépitèrent. Boyne avait perdu la partie. Que pouvait-il faire seul en pleine mer contre une mutinerie ?

— Dans ce cas, messieurs, grommela-t-il du bout des lèvres, je me retire...

— C'est ce que vous avez de mieux à faire ! ajouta le jeune volontaire en sortant des rangs.

Il grimpa sur un rouleau de cordage et cria :

— Nous désignons Pusay comme notre nouveau capitaine. C'est lui qui nous a sauvés !

— Vive le cap'taine Pusay ! hurlèrent les autres.

Fantin sauta à mon côté et, me levant le bras, il reprit, après m'avoir adressé un clin d'œil complice :

— Vive le capitaine Pusay !

# CHAPITRE 21

J'étais donc capitaine.

Fantin exigea que Boyne me laisse sa cabane, me donne ses vêtements et même son chapeau. Bien que je ne l'aimasse point, jamais je n'aurais osé exiger de lui pareil sacrifice. Fantin m'expliqua que, si je voulais être respectée par l'équipage, je devais assumer mon rôle jusqu'au bout et qu'habiter une cabane, porter un bel habit et un chapeau en faisait partie. Comme j'avais appris à coudre à Saint-Cyr, je passai ma première nuit à remettre à ma taille le costume de capitaine de Boyne. Mes épais cheveux remontés sur le sommet de mon crâne permirent au chapeau de tenir fermement.

Passé l'euphorie du calme après la tempête, l'angoisse s'empara de moi et de l'équipage, car nous étions absolument seuls en mer. J'avais beau inspecter l'étendue de l'océan, *La Diligente* et *Le Sept-Étoiles* avaient disparu.

— Alors ? me demandait Fantin à chaque changement de quart.

— Rien.

— C'est inquiétant, n'est-ce pas ?

— La tempête nous a, sans doute, provisoirement séparés. Nous finirons par nous retrouver puisque nous suivons la même route en direction de Saint-Malo.

— Peut-être ont-ils fait naufrage ?

Je me signai promptement. Mais c'était une possibilité. Terrible.

Outre que cela signifiait la mort de René et de tous nos compagnons, c'était aussi la perte de la cargaison pour laquelle nous nous étions si vaillamment battus et donc la fin de nos rêves de richesse. Et, de surcroît, si par malheur nous croisions un navire ennemi sans la protection de *La Diligente,* c'en serait fait de nous ! Je savais que tout l'équipage y pensait.

Il n'y avait vraiment pas de quoi se réjouir et d'ailleurs l'atmosphère était fort lourde sur notre vaisseau. Pourtant, un mousse, dans l'insouciance de sa jeunesse, s'efforçait de faire danser et chanter ses compagnons en jouant quelques airs du pays breton sur un vieux violon désaccordé par l'humidité. Il y parvenait parfois et pendant une heure, plus ou moins, certains oubliaient leurs tracas.

Ne buvant pas, je ne cessais de ressasser mes tourments.

Un matin, l'homme de veille s'époumona :

— Navire !

Je lâchai la tasse de thé que j'étais en train de boire dans ma cabane et je me précipitai sur le pont, le cœur battant. Tout en gravissant l'échelle me conduisant sur le tillac, je priais pour que ce fût *La Diligente* ou *Le Sept-Étoiles* et non un navire ennemi.

— Deux quarts par tribord avant ! me précisa la vigie, l'index pointé dans la bonne direction.

Mon œil droit collé à la longue-vue, j'aperçus une imposante voilure dans les brumes matinales. C'était une belle frégate. Peut-être *La Diligente*. Mais nous étions trop loin pour en être sûrs. Nous devions essayer de l'approcher. J'hésitai trois secondes d'horloge, puis j'ordonnai :

— Envoyez cacatois [1] et perroquet !

Aussitôt, les gabiers grimpèrent dans les cordages pour exécuter la manœuvre qui accélérerait notre allure.

1. Petite voile placée au-dessus de la voile de perroquet.

— Nous avons le dessus du vent [1], me dit Fantin qui était venu me rejoindre.

— Parfait. Pourvu que je ne me trompe pas, sinon...

— Nous sommes tous avec toi. Nous avons confiance.

Je le remerciai d'un sourire crispé. Le navire, au loin, grossissait à vue d'œil. Il avait même cargué une partie de sa voilure, comme pour nous attendre. J'ignorais si c'était bon ou mauvais signe. Fantin, à qui je venais de prêter ma lunette, exprima tout haut mes inquiétudes :

— Il ralentit. C'est peut-être *La Diligente* qui nous a reconnus à notre mât de misaine brisé... ou alors c'est un pirate qui nous tend un piège...

Cela augmenta mon angoisse. J'espérais un conseil, mais il me dit :

— De toutes les façons, si c'est un pirate, nous vendrons chèrement notre peau !

Un frisson me parcourut. Je n'avais pas de goût pour les batailles perdues d'avance et savoir que j'entraînais à la mort l'équipage de mon navire me glaça d'horreur. Un instant je fus tentée d'ordonner de faire demi-tour... cela ne servirait à rien. Si c'était un pirate, il nous retrouverait. Il devait même se réjouir d'avoir croisé notre route, car nous étions

1. Vent favorable.

une proie facile : aucun autre bâtiment ne nous escortait.

Il ne me restait plus que la prière et c'est de toute mon âme que je suppliais la Vierge de la Grand'porte et le Christ du Ravelin de nous protéger et, si possible, de faire que le navire vers lequel nous avancions fût *La Diligente.* Nous gagnions rapidement de la vitesse et la distance qui nous séparait de la frégate inconnue diminuait. Dans ma lunette, les détails de la coque et de la voilure devenaient plus nets.

— Ce n'est pas *La Diligente,* annonçai-je, la gorge sèche, quelques instants plus tard.

— Qui, alors ? m'interrogea Fantin.

Je tâchai d'apercevoir son enseigne [1] flottant en tête de son grand mât pour connaître sa nationalité.

— Pavillon blanc à fleurs de lys ! lâchai-je enfin.

— Un vaisseau du roi ? C'est peut-être une ruse.

— Peut-être. Nous l'allons savoir tantôt. Hissez notre pavillon blanc ! hurlai-je en direction du maître d'équipage.

Puis je commandai à Fantin :

— Tenez-vous prêt. Ne tirez que sur mon ordre. Je vais essayer de négocier. Nous ne sommes pas en position de force et un bon arrangement vaut toujours mieux qu'un mauvais combat. Si le capitaine

1. Pavillon, drapeau.

est un gentilhomme, nous nous en sortirons vivants... sinon, ce sera coup pour coup !

— Bien, mon capitaine ! me répondit Fantin en quittant le tillac.

La frégate s'appelait *La Serpente.* Elle avait cargué ses voiles et je distinguais, à présent, un gentilhomme debout sur le couronnement, porte-voix au poing. Je me saisis du mien. À cet instant, je pensai à mon père. À l'attitude qu'il devait avoir lorsqu'il commandait son vaisseau et, m'imprégnant de cette image, j'essayais de prendre un aspect aussi déterminé que possible.

Le gentilhomme commença à parler, posant des questions qui sont d'usage en mer :

— Ho, de la frégate ! Qui êtes-vous ! D'où venez-vous ? Où allez-vous ?

J'affermis ma voix, m'efforçant de la rendre plus grave, et je répondis :

— Je suis le capitaine Henri de Pusay. Nous revenons de campagne et nous nous en retournons à Saint-Malo, et vous ?

L'homme garda le silence. Je me retournai vers Fantin pour lui intimer l'ordre d'être prêt à riposter si *La Serpente* faisait jouer ses canons. Car enfin, pourquoi l'autre ne déclinait-il pas son identité ?

— Et vous ? insistai-je.

— Henri de Pusay ? répéta mon interlocuteur.

Pourquoi mon nom l'étonnait-il ? Avait-il reconnu à ma voix que j'étais une demoiselle ?

Fantin avait le bras en l'air. Les canonniers étaient à leur poste, ils attendaient d'allumer leur mèche. Le premier qui tirerait avait une chance, une petite chance d'avoir le dessus.

— Oui, j'ai nom Henri de Pusay, et vous ?

— Je me nomme Luc-Henri de Pusay et je ne connais aucun autre Pusay s'appelant Henri. Vous êtes un usurpateur, monsieur, et je vais réduire votre vaisseau en morceaux !

Un éblouissement me saisit et je me cramponnai au parapet pour reprendre mes esprits. Serait-il possible que... ? Mon cœur se mit alors à tambouriner si fort dans ma poitrine qu'il m'empêcha de parler. Luc-Henri que j'avais cherché en vain dans Saint-Malo venait de m'apparaître dans l'immensité de l'océan. Je n'y croyais pas. Pas vraiment... et en même temps, j'étais si heureuse... Mais comment lui faire comprendre qui j'étais sans que mon équipage découvre ma véritable identité ?

Car je savais qu'ils ne perdaient pas une miette de cette discussion qui allait déterminer leur sort.

Je repris enfin quelques forces et je lançai :

— N'en faites rien ! Vous détruiriez un vaisseau du roi que vous servez aussi !

— Votre enseigne n'est qu'une ruse !

— Non point. Vous avez ma parole d'honneur. Je vous invite à bord pour le vérifier.

Nous exécutâmes la manœuvre d'accostage.

Luc-Henri et trois de ses officiers, un pistolet à la ceinture et le sabre au clair, posèrent le pied sur notre pont. Je les reçus avec Fantin. J'avais enfoncé mon chapeau très en avant sur le front pour que l'ombre me cache le visage. Nous nous saluâmes militairement, la main au chapeau.

— Il semble que la tempête vous ait fort malmenés, remarqua Luc-Henri en constatant l'état de notre mât de misaine.

— Ce n'est point la tempête, expliqua Fantin. Nous avons amariné ce vaisseau à la Hollande et ce sont les boulets de *La Diligente* qui l'ont endommagé. Nous le ramenons à Saint-Malo.

— *La Diligente,* n'est-ce pas la frégate du capitaine Duguay-Trouin ?

— Si fait, répondis-je. Nous avons perdu son vaisseau de vue dans la tempête ainsi que *Le Sept-Étoiles* que nous avons amariné aussi aux Hollandais.

— J'ai aperçu hier au soir deux vaisseaux qui faisaient route nord-est. Ce pourrait être eux.

— Que Dieu vous entende, monsieur, souffla Fantin.

Comme il est de coutume, je conduisis le capitaine de *La Serpente* jusqu'à ma cabane pour lui offrir l'hospitalité. Je fis signe à Fantin de m'attendre dehors, ce qui obligea Luc-Henri, après une seconde d'hésitation, à exiger la même chose de ses officiers.

Je refermai la porte derrière moi.

— Tous vos officiers ont-ils été blessés ou tués lors de l'attaque ? Vous me paraissez bien seul pour diriger pareil bâtiment.

Je demeurai muette, préparant ma surprise. J'ôtai mon chapeau et je défis le lien retenant mes cheveux, qui cascadèrent sur mes épaules. Sa bouche s'arrondit de stupeur et il balbutia :

— Henriette ? Vous ?

— Oui. Personne ne voulait de moi comme demoiselle. Je suis donc devenue Henri.

— Ah, quel idiot j'ai été ! soupira-t-il.

Je lui versai un boujaron d'eau-de-vie. Il le vida d'un trait, puis il se laissa tomber sur une chaise et reprit :

— J'avais cru me satisfaire de la vie de notable que m'aurait apportée le mariage avec Mme de Chamoiseau, et puis...

— Vous êtes marié ? le coupai-je.

— Non. J'allais le faire lorsque Saint-Malo a subi cette abominable attaque. Je me suis précipité sur les remparts, comme les autres, pour défendre ma ville. Simone m'avait, quant à elle, supplié de fuir.

Et là, je vous ai vue, prête à payer de votre vie. Vous... vous m'avez ébloui...

— Moi ?

— Oui, vous. C'est là que j'ai compris que je n'étais point fait pour l'ennui mais pour l'action. Dès le lendemain, j'ai cherché un embarquement. *La Diligente* affichait complet. J'ai été engagé sur *L'Hermine*... Puis après une campagne aussi brève que brillante, je suis devenu le capitaine de *La Serpente*.

Il me saisit les mains. Je crus défaillir de bonheur.

— Ce jour-là, j'ai compris aussi que j'étais épris de vous et que je ne pourrais pas vivre loin de vous. Comme je vous avais perdue par bêtise, la mer me parut le meilleur moyen de vous oublier.

— J'ai... pensé la même chose.

— Seigneur ! Est-ce que cela signifie que... que vous m'aimez ?

Mon éducation m'interdisait de répondre à une question aussi directe, aussi je lui dis :

— C'est pour oublier votre mariage et rendre l'honneur à mon père que, moi aussi, je suis partie.

— Alors c'est que Dieu a eu pitié de nous s'il nous a réunis malgré tous les obstacles.

Il baisa mes lèvres avec fougue et je m'abandonnai à cette douce étreinte. Puis, comme il s'éloignait un peu de moi, il ajouta :

— Quant à rendre l'honneur à votre père, je me mets à votre service pour vous y aider.

Et pour le remercier, je lui offris à nouveau ma bouche à baiser.

## CHAPITRE

# 22

Malgré le désir que nous en avions, Luc-Henri ne put rester à bord du *Francis-Samuel. La Serpente* avait besoin de son capitaine et il n'était pas certain que nous ne nous soyons pas trahis par quelques gestes tendres ou quelques œillades un peu trop appuyées.

Je le raccompagnai jusqu'au bastingage où était arrimé son bateau. Fantin et une partie de l'équipage s'étaient amassés là pour rendre les honneurs au capitaine français. Avant de sauter avec aisance sur le pont de *La Serpente,* Luc-Henri recommanda à haute voix :

— Restez dans notre sillage. Les lieux ne sont point sûrs et, dans l'état de votre bâtiment et avec votre faible équipage, une attaque ennemie ferait votre perte.

Puis il murmura, juste pour moi qui étais le plus proche de lui :

— Et j'aurais grande peine à vous perdre maintenant que je vous ai retrouvée.

Lorsque *La Serpente* s'éloigna de notre coque, je soupirai. J'étais heureuse de me savoir aimée et déçue que mes sentiments si longtemps refoulés au fond de mon cœur ne puissent toujours pas éclater au grand jour.

Fantin, qui s'était approché de moi sans que je l'aie entendu, posa une main sur mon épaule. Je sursautai. Cette main, brusquement, me gêna. J'avais l'impression de trahir Luc-Henri. Je l'ôtai le plus délicatement possible. Mais je vis dans le regard que Fantin posa sur moi qu'il en était peiné.

— Tu le connais ? m'interrogea-t-il sèchement.

— C'est mon cousin.

— Ah, souffla-t-il soulagé, c'est pour cette raison que tu as voulu rester seule avec lui ?

— Oui.

— Il ne savait pas que sa cousine était un fameux corsaire ? ajouta-t-il en riant.

— Non.

À cet instant, j'aurais dû tout lui conter et surtout lui avouer les doux sentiments que Luc-Henri et moi éprouvions l'un pour l'autre. Je n'en eus point le courage.

— Eh bien, on peut dire que la chance est avec nous ! Nous avons perdu *La Diligente* et *Le Sept-Étoiles,* et nous gagnons *La Serpente* qui nous escortera jusqu'à Saint-Malo ! Je vais faire distribuer une ration d'eau-de-vie à l'équipage pour fêter ça !

Après quatre jours de navigation, je pris hauteur de la polaire [1] et, après quelques calculs, j'affirmai que nous n'étions pas loin de Saint-Malo. Les gars se disputèrent à qui monterait dans le nid-de-pie pour gagner la chemise de toile à voiles que le capitaine donne à quiconque aperçoit le premier la côte française au retour d'une campagne.

Cela mit une joyeuse animation à bord. Je vis que la même effervescence régnait sur *La Serpente,* car nous étions quasiment bord à bord.

Enfin, l'un de nos matelots hurla :

— Terre ! Terre !

Et comme un écho affaibli, le même mot s'échappa de *La Serpente.*

Une douleur crispa mon estomac : l'angoisse de regagner la terre.

Allions-nous y apprendre que *La Diligente* et *Le Sept-Étoiles* n'étaient point revenus ? Comment

1. L'étoile polaire, qui sert de repère dans la navigation.

devrais-je me comporter devant Luc-Henri pour ne pas fâcher Fantin ? Mon père était-il toujours vivant ? Bertille avait-elle été mariée à un vieil homme riche ?

Il me parut que tous mes ennuis que j'avais occultés sur la mer revenaient m'étouffer avant même que j'eusse mis un pied sur le sol breton.

Je me détournai de la rambarde où je m'étais postée pour guetter la terre. Fantin était derrière moi. Il me sourit et, comme s'il avait deviné mon mal, il me dit :

— Ne t'inquiète pas. Je suis là pour t'aider et te protéger.

Cela ne me réconforta point, car je savais que j'allais le faire souffrir et je ne le supportais pas. Il avait été un si bon compagnon. J'étais persuadée que si Luc-Henri n'avait pas reparu si soudainement, c'est avec Fantin que j'aurais construit ma vie.

Fort heureusement, je fus largement occupée à diriger le bateau et, avec l'aide du pilote et du timonier, à éviter les nombreux écueils protégeant Saint-Malo. Lorsque nous distinguâmes le clocher de Saint-Vincent dépassant des remparts, des cris d'allégresse retentirent, et lorsque nous atteignîmes Mer Bonne, ils redoublèrent. Bientôt, les quais furent en vue.

— N'est-ce point là *La Diligente* ? me fit remarquer Fantin, l'index pointé vers un vaisseau amarré le long du quai, et à côté *Le Sept-Étoiles* ?

— Si fait ! Ce sont eux ! m'exclamai-je joyeusement.

L'équipage avait lui aussi aperçu les vaisseaux dont les cales contenaient le butin que nous devions nous partager et leur liesse n'eut plus de bornes. Certains lancèrent leur bonnet ou leur chapeau en l'air, d'autres se signèrent et remercièrent la Vierge, d'autres enfin chantèrent à pleine gorge un chant breton où il était question d'or et de lingots arrachés aux flots. Cependant aucun ne manqua à la manœuvre et c'est sans encombre que, après *La Serpente* qui nous avait précédés de peu, nous lançâmes nos cordages à des matelots malouins qui les arrimèrent solidement aux lourds anneaux scellés dans les pierres du quai.

Je m'enfermai alors dans ma cabane.

Quitter le monde de la mer où j'avais su me faire une place me parut soudain une insurmontable épreuve. Les cris de joie, les chants, les appels des femmes, des hommes venus accueillir l'un des leurs m'étaient insupportables. Je me laissai tomber dans un fauteuil et des larmes coulèrent silencieusement sur mes joues. Je m'en voulais de cette faiblesse, sans parvenir pour autant à endiguer mes pleurs.

Combien de temps restai-je ainsi prostrée ? Je l'ignore.

On toqua à ma porte. Fantin entra. Me voyant dans cet état, il s'agenouilla devant moi et me dit :

— Je comprends ce que tu ressens. Je l'ai éprouvé, moi aussi, à mon premier retour de campagne. On ne sait plus si on a envie de descendre à terre ou de reprendre la mer.

Pour essayer de me rendre le sourire, il ajouta même :

— C'est le signe que tu es devenue un véritable corsaire.

— Trop de soucis m'assaillent, soufflai-je.

— Je suis là, je t'aiderai à les surmonter.

Il me saisit les mains. J'étais si anéantie que je ne réagis point. Aussi s'enhardit-il à me proposer :

— Henriette, tu as sans doute deviné mes sentiments à ton égard et il me semble que je ne te suis pas indifférent. Je gage que le mariage te libérera de tous les vieux démons qui te hantent. Tu ne seras plus obligée de fuir sur la mer. Tu tiendras notre maison et tu t'occuperas des nombreux enfants que nous aurons.

Il me baisa la main. Mes pleurs redoublèrent. Il s'en trouva contrit et, se relevant, il bredouilla :

— Qu'ai-je dit pour te mettre dans cet état ?

Je devais lui avouer maintenant que ce n'était pas lui que j'aimais. Comment m'y prendre ? Il tournait à présent dans ma cabane tandis que les sanglots me secouaient.

— Calme-toi, voyons. Si c'est le mariage qui te fait peur, j'attendrai... j'attendrai que tu sois prête.

Il se disposait à quitter la pièce, lorsque la porte s'ouvrit brusquement.

— Luc-Henri ! m'exclamai-je en me levant.

En trois pas, je fus dans ses bras. Je cachai mon visage contre sa veste. Je ne voulais plus rien voir, plus rien entendre. Seulement savourer le bonheur de cette étreinte.

J'entendis sortir Fantin.

En passant à mon côté, il persifla :

— Ainsi, c'est de ton cousin que tu es éprise. Tu aurais pu m'en avertir, cela m'aurait évité d'être ridicule.

Puis il claqua violemment la porte derrière lui.

Ma lâcheté fit couler à nouveau mes larmes, que Luc-Henri sécha doucement du bout du doigt.

Bientôt, il se dressa devant moi et, prenant un ton fort protocolaire, il m'annonça :

— Capitaine Henri de Pusay, René Duguay-Trouin vous attend pour vous féliciter d'avoir mené à bon port le *Francis-Samuel.* Je vous conseille de mettre un peu d'ordre dans votre tenue, d'enfiler une chemise et un haut-de-chausse propres, afin de faire bonne figure devant les équipages, les bourgeois et les badauds qui ont envahi le quai. Vous allez être à l'honneur ! N'est-ce pas ce que vous souhaitiez ?

Je souris.

— Alors, sortez d'ici, monsieur, pour que je me change.

— Voyons, entre hommes nous n'avons pas ce genre de pudeur ! se moqua-t-il.

— Mais, pour vous, ne suis-je pas Henriette ? minaudai-je pour le provoquer.

— Ma chère, je ne sais plus. À dire vrai, je me demande si je ne préfère pas Henri à Henriette.

— Oh, monsieur ! m'écriai-je faussement offusquée en lui lançant mon chapeau au visage.

# CHAPITRE 23

René ne s'embarrassa pas d'un long discours. Il me donna l'accolade et me dit simplement devant les officiers rassemblés :

— Henri de Pusay, vous êtes un vaillant corsaire ! Quant à vous, Rozon, poursuivit-il, vous n'avez point démérité en secondant de votre mieux le capitaine Pusay.

Fantin, qui était monté sur *La Diligente* le visage dur et fermé, répondit sans me regarder :

— C'est vous, monsieur, que je souhaite servir à présent jusqu'à ma mort !

— Nous ne reprendrons pas la mer avant plusieurs mois. Notre frégate a besoin d'être carénée.

Nos mâts et notre voilure ont souffert lors des combats et de la tempête, il faut les réparer.

— Alors j'attendrai votre prochain armement en course.

— Pour l'heure, les officiers du tribunal d'Amirauté vont s'occuper de notre prise et établir les comptes.

— J'espère qu'ils ne feront pas traîner l'affaire comme c'est la coutume, car ces beaux messieurs ne sont jamais pressés de payer les corsaires. Si nous eussions été pirates, nous nous serions servis sans rien demander à personne, ironisa Luc-Henri.

René n'apprécia pas cette comparaison, car il reprit sèchement :

— Nous sommes au service du roi. Mais n'aie aucune crainte, l'armateur est de ma famille et vous recevrez chacun un beau petit pécule. Je m'y engage.

Je souris. Une sorte de frénésie me prit. Il me parut important d'informer le plus rapidement possible mon père que ses ennuis financiers touchaient à leur fin.

René me retint par le bras et me souffla à l'oreille :

— Luc-Henri m'a parlé. Cet imbécile a enfin ouvert les yeux ! Je vous souhaite d'être heureux.

Je le remerciai, puis je me dirigeai vers Fantin et je lui tendis la main pour que nous ne nous quittions pas fâchés. Il la dédaigna et m'expliqua :

— Je t'aime, Henriette, depuis le premier jour où je t'ai vue. Mon cœur saigne trop pour te pardonner... Je vais essayer de t'oublier en parcourant les mers...

Il quitta le navire sans se retourner et se perdit dans la foule du quai.

Je n'étais point fière de lui infliger cette souffrance. Mais on ne commande pas aux sentiments et les miens étaient, depuis l'enfance, pour Luc-Henri.

Il m'attendait sur le quai et me dit en riant :

— Habituellement, les marins vont fêter leur richesse en écumant toutes les tavernes du port. Par laquelle commençons-nous ? *Le Chat qui danse* ou *La Pie qui boit* ?

— Idiot ! le rabrouai-je en riant à mon tour.

Ce rire me libérait. Il me semblait que jamais je n'avais ri et j'étais étonnée d'entendre ce son sortir de ma gorge.

— Je vais louer un cheval et galoper jusqu'à la demeure familiale. J'ai hâte d'annoncer la bonne nouvelle à mon père, et d'embrasser ma sœur.

— Vous prenez un grand risque. Votre mère avait des principes fort stricts et...

— Ne parlons pas d'elle, voulez-vous. C'est de mon père et de ma sœur qu'il s'agit.

— Alors je vous accompagne.

— Vous courez le même risque que moi. Vous non plus n'êtes pas majeur. Vous avez quitté la prêtrise et pris la mer sans l'accord de votre père qui peut, lui aussi, ordonner votre emprisonnement.

— Eh bien, la prison avec vous, ma mie, me sera fort douce ! ajouta-t-il dans un éclat de rire.

Toujours vêtue en garçon, je louai un cheval. Luc-Henri fit de même. Nous ne mîmes point les chevaux au galop afin de savourer le bonheur d'être ensemble et nous atteignîmes la demeure de mes parents en quelques minutes.

Dès que j'aperçus la bâtisse, l'angoisse m'étreignit. Trop de méchants souvenirs y étaient attachés.

Nous descendîmes de notre monture et, Luc-Henri à mon côté, je tirai la chevillette pour annoncer notre arrivée.

Mariette nous ouvrit. Pressée de se débarrasser de deux importuns, elle débita sans aménité :

— Madame est absente et Monsieur ne reçoit pas.

— Même moi ? interrogea Luc-Henri en ôtant son chapeau.

— Doux Jésus ! s'exclama-t-elle, vous ? Monsieur Luc-Henri ?

À cet instant, elle me regarda et, après une seconde d'hésitation, elle reprit :

— Et serait-ce toi... ma petite Henriette ?

— C'est bien moi, ma bonne Mariette.

Elle recula d'un pas, se signa et bredouilla :

— Seigneur, voilà que tu recommences à te travestir en homme ! Tu sais pourtant ce que tu risques !

Elle m'attrapa par le bras et, lançant un regard inquiet autour d'elle, me tira à l'intérieur de la maison.

— Ne l'accable pas, Henriette a fait preuve d'un grand courage, expliqua mon cousin. Elle a servi son roi comme corsaire et...

— Corsaire ! Doux Jésus... c'est-y possible ?

Sa mine offusquée fit rire Luc-Henri qui insista :

— Parfaitement. Tous deux nous avons écumé la mer au profit de notre roi.

— Quand même, me gronda-t-elle comme si j'avais encore six ans, tu n'aurais pas dû...

— C'est qu'avec un jupon il n'est pas facile de s'attaquer à l'ennemi, expliquai-je.

Elle sourit et m'ouvrit enfin les bras. Elle me tint un instant serrée contre elle, puis nous annonça :

— Madame est à vêpres avec Bertille.

— Bertille n'est donc pas encore mariée ? m'étonnai-je.

Mariette rit.

— Elle a refusé avec force tous les partis présentés par Madame !

— Et elle a obtenu gain de cause ?

— Ah, c'est que Madame est complètement entichée de Bertille.

Elle soupira :

— Si seulement elle avait pu te donner un quart de cette tendresse, tu n'aurais point été si malheureuse.

Luc-Henri m'entoura les épaules de son bras et décréta :

— Maintenant, elle ne sera plus jamais malheureuse. Tout mon amour est pour elle !

— Aime-la très fort. Elle a beaucoup d'amour à rattraper.

Gênée par l'étalage de tous ces sentiments, je brusquai un peu Mariette.

— Et mon père, comment va-t-il ?

— Comme un homme qui n'espère plus rien de la vie.

— Bientôt, je pourrai doter Bertille et assurer un nouveau train de vie à cette maison.

— Le seigneur te bénisse, mon enfant. Nous sommes couverts de dettes et le pain est si cher ! Le blé manque. Les récoltes ont été mauvaises et les spéculateurs cachent celui qu'ils ont pour faire monter les prix. Le roi achète bien du blé en Russie et en Pologne, mais les ennemis interceptent les navires ! Des pauvres meurent de faim chaque jour.

— C'est ce que j'ai entendu dire aussi sur les quais, ajouta Luc-Henri. Il faudrait que les corsaires du roi y mettent bon ordre !

— Ne me dites pas que vous allez repartir alors que vous venez à peine d'arriver ? s'indigna Mariette.

— Je suis là où le roi de France a besoin de moi, assura mon cousin.

Je retrouvais là le Luc-Henri de mon enfance et j'en souris de bonheur.

Je gravis les degrés me conduisant à l'étage et c'est fort émue que je pénétrai dans la chambre de mon père. Assis dans un fauteuil, il regardait par la fenêtre et se tourna immédiatement vers la porte en s'exclamant :

— Toi ? J'avais bien cru reconnaître ta voix... et pourtant, ce sont deux cavaliers que j'avais vus entrer dans la cour.

Je tombai à ses genoux et le suppliai :

— Pardonnez, père, cet accoutrement contraire aux préceptes de l'Église. Mais il me faut ruser pour pénétrer dans votre maison...

— Hélas, ma fille... votre mère a toujours eu un caractère difficile et un sens de la famille et de l'honneur qui lui est propre. Mais laissons cela, voulez-vous ? Parlez-moi de vous. Vous m'avez si fort manqué.

Je me relevai et, prenant une allure martiale, je lançai avec emphase :

— Père, vous avez devant vous Henri de Pusay qui, après avoir vaillamment combattu aux côtés de René Duguay-Trouin, a été nommé capitaine sur le *Francis-Samuel*.

— Capitaine ? Mais vous...

— Je ne suis qu'une demoiselle, n'est-ce pas ? À dire vrai, je ne me suis jamais sentie demoiselle et vous savez pourquoi. Par contre, une épée ou un pistolet à la main, je ne suis pas manchote. Vous souhaitiez un fils pour qu'il assure votre succession au service du roi. Dieu ne l'a point voulu, et c'est moi qu'il a choisie pour assurer cette mission dont j'essaie de m'acquitter le mieux possible pour l'amour de vous. Je reviens d'une campagne en mer sous les ordres du capitaine Duguay-Trouin. La prise a été bonne et ma part de butin sera à vous.

— Je ne peux accepter, me répondit-il les yeux embués de larmes.

— Il le faut. Je n'ai risqué ma vie que pour vous rendre la richesse et l'honneur que vous avez perdus. Vous doterez ainsi Bertille afin qu'elle ait un parti à sa convenance. Moi, je n'ai besoin de rien.

— Alors, j'accepte pour Bertille. Mais vous aussi, mon enfant, vous avez besoin d'une dot pour vous marier.

— Non point. Je viens de trouver un mari qui me prend telle que je suis. Sans un sou.

À cet instant, la haute stature de Luc-Henri s'encadra dans l'ouverture de la porte. Mon père sursauta et s'indigna :

— Que faites-vous dans cette maison où vous êtes indésirable ! Votre père est mort de chagrin d'avoir un fils paresseux et sans honneur !

— Mort, dites-vous ? s'écria Luc-Henri.

— Hélas ! il a rendu son âme à Dieu voici un mois. Ses dernières paroles ont été pour vous.

Mon cousin baissa la tête, et je vis qu'il contenait son chagrin à grand-peine.

— Je regrette de l'avoir fait souffrir, murmura-t-il. J'étais jeune et impétueux, maintenant je le comprends, mais il est trop tard.

— Je suis certaine que, de là où il est, il voit que vous êtes dans le droit chemin, assurai-je pour le réconforter.

Puis, me tournant vers mon père, je poursuivis :

— N'accablez pas Luc-Henri, il a changé. Il s'est engagé comme corsaire au service de notre roi et...

— Et c'est lui que vous voulez épouser ?

Luc-Henri s'inclina devant mon père et, une main sur le cœur, il lui dit :

— J'aime Henriette, je vous promets de faire tout mon possible pour la rendre heureuse et je sollicite de vous l'honneur de l'épouser.

— Ah, monsieur... ne me parlez plus d'honneur, je vous prie. Je n'en ai plus. Quant à vous, vous n'avez pas encore fait la preuve que vous en aviez... Votre père vous le dirait s'il était encore de ce monde.

Piqué au vif, Luc-Henri se redressa et se défendit.

— Vous avez raison. Mais ce n'est qu'une question de mois. D'ici peu, je vous apporterai la preuve que je suis digne d'Henriette.

J'étais, quant à moi, un peu marrie. Je n'avais pas souhaité que les deux hommes que j'aimais le plus s'affrontent. Mais mon père était si malheureux que je lui pardonnais et qu'à mon tour je lui dis :

— Père, mon plus cher désir est de vous rendre votre honneur. Je vais, à présent, m'y employer.

— Ne crois pas que je sois ingrat, Henriette. L'argent n'est rien en regard de l'honneur et il vaut mieux être pauvre mais honorable que riche et sans honneur.

C'est une maxime qu'il m'avait souvent répétée, aussi lui souris-je en répondant :

— Je le sais, père.

CHAPITRE

# 24

J'étais déçue de n'avoir pas pu embrasser Bertille, mais l'attendre serait m'exposer à la vindicte de ma mère. Je demandai à Mariette de lui transmettre mon affection, puis Luc-Henri et moi reprîmes nos montures pour rejoindre Saint-Malo.

Luc-Henri était sombre.

Il regrettait sans doute sa conduite passée et cherchait comment se racheter et obtenir la bénédiction de mon père pour notre mariage. Il souffrait aussi de n'avoir pu obtenir le pardon de son père avant son décès. De mon côté, j'avoue qu'il m'aurait coûté de chagriner mon père en épousant mon cousin sans son consentement.

Il loua une chambre pour moi dans une bonne auberge et me dit :

— Reposez-vous, ma mie. Je vous laisse quelques heures. J'ai besoin de me changer les idées.

Je supposai qu'il allait boire et plaisanter dans l'un des tripots du port, mais je ne le retins pas. Les hommes ont besoin de ce genre de divertissement.

Lorsqu'il revint, je m'étais assoupie. Il me réveilla et m'annonça :

— Henriette, j'ai trouvé le moyen de me couvrir de gloire.

Je me frottai les paupières et, la tête encore lourde de sommeil, je le questionnai :

— Quel est-il ?

— Je viens d'apprendre que le sieur Jean Bart forme une flotte pour protéger les vaisseaux chargés de blé de Russie et les accompagner jusqu'à l'un de nos ports.

— N'est-il pas de Dunkerque ?

— Si fait. Mais dans cette lutte pour sauver la France de la famine, Malouins et Dunkerquois ont le devoir de s'unir.

À présent totalement réveillée, je m'assis sur ma couche et je lançai :

— Je viens avec vous.

— Non point. Cela peut être dangereux et...

Je l'interrompis :

— La France et le roi ont besoin de tous leurs corsaires pour venir à bout de cette terrible famine et il me semble que j'ai montré ma vaillance !

— Certes... mais...

— Si vous me répondez que je ne suis qu'une femme, je vous mords !

Il éclata de rire à ma boutade et admit :

— Je savais que je ne pourrais pas vous convaincre de rester passive. Habillez-vous, nous partons sur l'heure.

Le mieux aurait sans doute été de pouvoir joindre *La Serpente* à la flotte de Jean Bart, mais nous n'avions point le temps d'engager un équipage, ni d'obtenir du roi une lettre de course. Nous irions donc proposer nos bras, notre expérience et notre courage.

Il nous fallut trois jours pour rallier Dunkerque. Fort heureusement, nous étions en juin. Les jours étaient longs et soleilleux. Nous nous arrêtions juste pour manger et dormir dans une auberge afin de ne pas nous mettre en retard. Luc-Henri avait recouvré sa bonne humeur et, le soir, après le souper, nous faisions des projets d'avenir. Il rêvait de partir écumer les mers du Sud et, fortune faite, de s'installer dans les Caraïbes. Il parlait avec tant d'ardeur que ses rêves devenaient les miens.

Enfin, le beffroi de la ville nous apparut. Nous nous dirigeâmes vers le port où l'effervescence des grands départs régnait et, avisant un officier qui se tenait assis derrière une table protégée des vents pour, visiblement, recruter l'équipage, nous nous présentâmes.

— J'ai nom Luc-Henri de Pusay. J'étais capitaine sur *La Serpente* qui vient de désarmer à Saint-Malo et j'ai l'honneur de solliciter un embarquement sous les ordres du sieur Jean Bart.

L'officier, bougon, hocha la tête, puis m'interrogea :

— Et toi ?

— Je suis son cousin, Henri de Pusay, et j'ai servi sous les ordres du capitaine Duguay-Trouin lors de plusieurs campagnes.

Le visage de l'officier s'éclaira.

— J'ai entendu parler de toi. Tu es jeune, mais la valeur n'attend point le nombre des années, comme l'a si bien dit le célèbre dramaturge [1]. Tu es engagé et ton compagnon aussi. Vous serez officiers sur *Le Maure* commandé par Jean Bart en personne. Notre flotte comporte six autres navires : *Le Mignon, Le Fortuné, Le Comte, L'Adroit, Le Jersey, Le Portefaix*. Mais nous ne serons pas trop nombreux pour protéger les soixante navires qui transportent le blé que le roi a acheté en Russie.

1. Pierre Corneille dans *Le Cid* de 1636.

Nous appareillâmes deux jours plus tard. Jean Bart réunit officiers et membres d'équipage sur le tillac. Il avait fière allure. Son regard bleu semblait percer chacun de nous et de son chapeau s'échappaient quelques mèches blondes. Après nous avoir salués, il nous tint à peu près ce discours :

— Messieurs, nous avons ordre du roi d'aller au-devant d'une flotte transportant du blé et de la convoyer jusqu'à Dunkerque. Le roi est las que ses navires soient attaqués par les forbans du prince d'Orange [1]. Le peuple a faim et c'est notre devoir de faire en sorte que le blé arrive sans encombre sur notre sol !

La mission paraissait aisée.

Le soir même, Jean Bart convia dans la grand-chambre plusieurs de ses officiers à un somptueux souper. Le coq s'était surpassé et les mousses qui nous servaient étaient attendrissants de gaucherie. Ils devaient être plus à l'aise dans les cordages qu'un plat chargé de victuailles à la main. Luc-Henri et moi eûmes l'honneur d'en être. Ce qui, je crois, amusa ou intrigua le sieur Bart, c'est que nous soyons cousins et que nous portions le même prénom. Il savait que j'avais servi sous les ordres de René Duguay-Trouin, et bien que les deux

1. Couronné roi d'Angleterre le 11 avril 1689 sous le nom de Guillaume III.

hommes ne fussent pas du même clocher, Jean Bart reconnaissait les mérites du Malouin.

— C'est un fameux corsaire, et j'ai ouï-dire, monsieur, que vous vous êtes vaillamment comporté lors de plusieurs attaques.

Je maudis ma condition de femme qui me fit rougir sous le compliment, et pour cacher mon trouble, je répondis :

— Je n'ai aucun mérite, c'est le capitaine qui insuffle le courage à ses hommes.

Ma repartie lui plut, car il m'accorda un chaleureux sourire. Puis la conversation glissa sur d'autres sujets.

Le lendemain, le quart de trois heures venait de tinter. J'étais sur le pont à admirer le ciel étoilé tout en surveillant la mer. Luc-Henri qui avait assuré le quart précédent était allé s'étendre dans notre hamac. Jean Bart ne dormait pas, il déambulait sur le pont, sa lunette à la main, scrutant la nuit à la recherche de la flotte de blé. À un moment, il me tendit sa longue-vue en me disant :

— Regardez, la lumière de la lune est si puissante en juin que l'on y voit presque comme en plein jour.

À mon tour, je promenais le cercle de la lunette sur l'horizon lorsque, soudain, j'aperçus entre le ciel et la mer une multitude de points blancs. Je lui rendis sa lunette en disant :

— Capitaine, des voiles par tribord avant !

Il vérifia l'information et ajouta :

— Dans quelques minutes, nous serons fixés. J'espère seulement que ce n'est point une flotte de vaisseaux ennemis, car nous ne sommes pas là ce jour d'hui pour nous emparer d'or, d'épices, de soieries ou de porcelaine, mais pour ravitailler la France.

Le jour se levait lorsque nous pûmes compter une soixantaine de navires escortés par huit navires de guerre.

— Curieux, marmonna Jean Bart... l'œil collé à sa lunette. D'autant qu'ils ne se dirigent point vers Dunkerque, mais qu'ils remontent en direction de la Hollande. Pouvez-vous étudier la carte, monsieur ? me demanda-t-il.

Je courus dans la grand-chambre et, déroulant la carte et pointant le compas, je calculai l'endroit vers lequel l'étrange flotte se dirigeait. Puis je revins en informer Jean Bart.

— À quelques lieues de là se trouve l'île hollandaise de Texel.

— Sangbleu ! C'est ce que je craignais. Notre convoi de blé a déjà été amariné par ces diables de Hollandais qui le conduisent chez eux. Ils ne savent pas ce qui les attend, vous pouvez m'en croire !

Saisissant son porte-voix, il ordonna :

— En avant, toute !

En quelques heures, nous approchâmes de notre but. Les soixante navires de blé étaient si lourdement chargés que leur fuite en était ralentie. Jean Bart examina attentivement les huit navires de guerre hollandais de l'escorte et marmonna :

— Ils possèdent trois cent quatre-vingt-huit canons quand nous n'en totalisons que trois cent vingt-deux sur sept navires, dont deux flûtes qui ne sont pas conçues pour le combat.

— Il faut renoncer, capitaine, conseilla un officier, la lutte sera par trop inégale et nous y péririons tous sans...

— Il suffit ! coupa Jean Bart avant d'ajouter : Conseil de guerre dans la grand-chambre !

Les capitaines des sept navires français et leurs officiers s'y rendirent.

— Est-on absolument certain qu'il s'agit de notre convoi de blé ? demanda le capitaine du *Fortuné*.

— Non. Pour en être sûr, il faudrait y aller voir de plus près...

— Si je puis me le permettre, dis-je, il suffirait qu'une barque se faufile sous les canons hollandais et aille interroger un navire chargé de blé.

— Ce n'est pas une entreprise des plus aisées et celui qui l'entreprendra y risquera sa vie.

— Je le veux bien, assurai-je.

Un silence se fit dans la pièce. Il me sembla qu'il contenait de l'admiration et cela me combla. Par contre, le regard que Luc-Henri posa sur moi était lourd de reproches et de craintes. Je détournai le mien. J'avais l'opportunité de mener une action valeureuse qui ferait honneur à mon père. Je ne devais pas flancher.

Une embarcation fut mise à la mer et, avec un équipage des plus réduits, nous avançâmes à la rame vers la flotte ennemie. Je priais Dieu et la Vierge afin qu'ils nous protègent, car un seul boulet de canon pouvait nous réduire en miettes. Les capitaines hollandais étaient sans doute si occupés à étudier la façon de nous anéantir qu'ils ne virent pas notre barque se faufiler sans bruit jusqu'aux navires marchands.

Là, je pus interroger un homme qui m'apprit que les soixante navires étaient pleins de blé mais que la veille ils avaient été amarinés par cette escadre hollandaise qui les conduisait à Texel. Ma mission était remplie et nous refîmes le chemin jusqu'au *Maure* où j'annonçai à Jean Bart :

— Ce sont bien nos vaisseaux de blé.

— Merci, monsieur. Nous allons donc reprendre ce qui nous appartient.

Des discussions s'engagèrent alors entre les capitaines de nos sept navires afin de déterminer un plan d'attaque. Les Hollandais alignaient un vaisseau de plus que nous. Jean Bart jugea donc à propos d'occuper l'un des vaisseaux ennemis par des agaceries occasionnées par le seul *Portefaix*. Il fit transborder sur ce modeste navire cent vingt hommes d'équipage et en donna le commandement au sieur de La Bruyère. Puis il me fit appeler et m'annonça :

— Monsieur, vous m'avez déjà fait montre de votre courage. Vous serez le second sur *Le Portefaix*.

J'inclinai la tête en guise de remerciement. Mais l'idée de me séparer une fois encore de Luc-Henri me noua les entrailles et je regrettai mon action de tantôt. Je n'eus cependant pas d'autre choix que celui d'obéir.

Nous nous séparâmes d'une accolade. Luc-Henri put juste me murmurer à l'oreille :

— Prends garde à toi.

— Que Dieu te préserve, lui répondis-je avant de rejoindre *Le Portefaix*.

La Bruyère sonna immédiatement le branle-bas et cria :

— Parez ! À vos pièces !

Les canons étaient déjà dépatés [1], les canonniers se tenaient prêts à allumer les mèches. *Le Portefaix*

1. *Dépater un canon :* lui ôter sa tape, qui est un bouchon de bois dont on couvre la gueule pour la préserver de l'eau.

manœuvra pour être sur le dessus du vent et, s'éloignant légèrement de notre flotte, s'approcha du vaisseau choisi.

— Feu de bordée ! hurla notre capitaine.

Dans la fumée, je vis s'abattre le grand mât de hune et la grand-vergue de l'ennemi dans de sinistres craquements, projetant jusque sur notre pont des débris de bois et de cordages. Des hourras retentirent à notre bord. Las ! le capitaine, debout sur le gaillard d'avant, reçut une écharde de bois de la grandeur d'un poignard en pleine poitrine. Il s'effondra à mes pieds et me dit dans un souffle :

— Prenez le commandement.

Je n'hésitai point. Un coup d'œil à l'ennemi, et je hurlai :

— Tous à couvert !

Nous nous jetâmes à plat ventre. Fort heureusement pour nous, au même instant, le timonier et le bosco, à qui le capitaine avait donné ses consignes quelques minutes avant l'attaque, sifflèrent et hurlèrent pour que gabiers et matelots fassent virer le bateau, ainsi les boulées effleurèrent notre coque sans l'endommager trop.

C'est alors que la volonté de Dieu se manifesta, car un de nos boulets mit le feu à des caisses remplies de gargousses et le vaisseau ennemi s'embrasa. Je donnai l'ordre de rejoindre notre escadre pour prêter main forte à nos cinq frégates.

Tandis que nous faisions diversion, *Le Maure* s'était approché du *Prince de Frise* où flottait le pavillon hollandais. Les deux vaisseaux étaient à présent coque contre coque en prévision de l'abordage. Les cris, les tirs de mousquets venaient jusqu'à moi. Debout à la proue, l'œil rivé à ma lunette, j'essayai de reconnaître dans cet enchevêtrement de corps en train de se battre celui de Luc-Henri. C'était ridicule. Je regrettais de n'être point à ses côtés pour partager le même danger.

Je n'eus pas le temps de m'éterniser dans la contemplation de l'abordage du *Prince de Frise.*

Je fis placer mon navire derrière *Le Maure* pour le protéger des Hollandais qui pouvaient le bombarder pendant l'abordage du *Prince de Frise.* Et nous essuyâmes un tir fourni, auquel nous répondîmes fort vaillamment. Il faut bien reconnaître que les canonniers hollandais visaient mal quand nous faisions mouche chaque fois.

Enfin des hurlements de victoire nous parvinrent. *Le Prince de Frise* s'avoua vaincu et son pavillon amiral ne flotta plus à la cime de son mât.

*Le Mignon* et *L'Adroit* abordèrent de la même façon deux navires hollandais et les cinq autres préférèrent prendre la fuite. Nous avions gagné ! Des cris de joie et des tirs en l'air célébrèrent la reddition de l'ennemi.

Nous allions ramener à Dunkerque soixante navires chargés de blé et, grâce à nous, le peuple pourrait enfin manger.

Mon bonheur aurait été complet si j'avais été certaine que Luc-Henri était encore en vie.

## CHAPITRE

# 25

Nos cinq frégates et nos deux flûtes encadrant les soixante navires de blé, nous fîmes une entrée triomphale dans le port de Dunkerque. J'avais cependant du mal à participer à la liesse générale, car je n'avais toujours pas aperçu Luc-Henri. Plusieurs fois, je m'étais postée bien en vue sur le tillac, dans l'espoir qu'il agirait de même pour me rassurer. Il ne le fit pas. Il est vrai que j'aurais pu, avec le porte-voix, demander de ses nouvelles. Il me parut que c'était bon pour une donzelle de s'inquiéter ainsi pour son cousin... et comme, aux yeux de tous, j'étais un corsaire, je ne voulais pas éveiller les soupçons... mais l'angoisse me rongeait si fort que, moi qui n'avais presque jamais été malade en mer, je le fus alors que nous naviguions sur une mer d'huile. Et je dus me cacher pour vomir, ne voulant pas devenir la risée de mon équipage.

Si Luc-Henri ne se montrait pas, c'est qu'il était mort au combat...

Je secouai la tête. Non, pas lui. Puis je priai de toutes mes forces pour que Dieu lui ait laissé la vie sauve et m'épargne ainsi la souffrance de perdre le seul être qui m'aime après mon père.

Enfin, je donnai l'ordre de jeter l'ancre à quelques encablures du port. Les cinq autres vaisseaux battant pavillon à fleurs de lys en avaient fait autant, entourant les soixante navires de blé. Puis je descendis dans une chaloupe et je montai prestement à bord du *Maure,* tremblante de crainte. Tout d'abord, je dus aller faire mon rapport au capitaine Jean Bart qui me félicita :

— Je savais que je pouvais compter sur vous. Grâce à votre initiative, l'abordage du *Prince de Frise* a pu se faire sans que nous ayons à nous soucier de nos arrières. J'envoie ce jour d'hui mon fils François à Versailles pour informer le roi de notre victoire. J'y ajouterai un mot en votre faveur.

Je le remerciai.

— Savez-vous que j'ai déjà eu l'immense honneur d'avoir été reçu deux fois par Sa Majesté ?

Je hochai la tête. Emporté par l'ivresse de la victoire, il me conta alors :

— J'avais à peine vingt-six ans lorsqu'il me remit une chaîne d'or. Plus tard il me nomma lieutenant de vaisseau dans la marine royale, ensuite, après mon évasion de Plymouth où les Anglais me retenaient prisonnier, il me fit capitaine et chef d'escadre.

À dire vrai, je n'avais pas l'esprit à écouter ses exploits et je bafouillai je ne sais quoi pour le féliciter. Il dut alors lire l'inquiétude sur mon visage, car il ajouta :

— Votre cousin s'est vaillamment comporté. Il est blessé, mais il sera bientôt sur pied.

Mon sang se retira d'un coup de mon visage et je fis un effort surhumain pour ne pas tomber en pâmoison. J'articulai avec peine :

— Puis-je le voir ?

— Certes. Il est à l'infirmerie. Le chirurgien du bord l'a parfaitement bien soigné.

Je me précipitai et faillis dégringoler de l'échelle conduisant au lieu sombre et malodorant appelé « infirmerie ». Cela n'avait rien à voir avec la pièce claire, sentant les plantes médicinales, de Saint-Cyr. Luc-Henri était allongé dans un hamac, la jambe entourée d'un bandage. Je me retins pour ne pas me jeter contre lui et l'étreindre. Je mis dans mon regard toute la force de mon amour et je balbutiai :

— As-tu mal ?

— Presque pas. Une balle m'a traversé la jambe alors que j'avais réussi à arracher le pavillon hollandais de la cime du mât. Le chirurgien a affirmé qu'il ne serait pas obligé de m'amputer. Dans quelques jours, je pourrai marcher.

— Dieu soit loué ! m'exclamai-je.

Un trop-plein de bonheur gonfla ma poitrine et je me mis à sangloter.

Luc-Henri se remit fort bien de sa blessure et, quelques mois plus tard, Jean Bart qui se rendait à Versailles à l'invitation du roi nous proposa de se joindre à lui :

— Sa Majesté apprécie les hommes valeureux. Il a lu le rapport rédigé par notre écrivain de bord, et quel honneur pour vous s'il avait la grande bonté de vous adresser la parole !

— Être reçu par le roi est un immense privilège et je vous sais gré de nous en fournir l'occasion, répondit Luc-Henri.

En ce qui me concerne, j'avais déjà vu plusieurs fois le roi lorsqu'il rendait visite à ses colombes de Saint-Cyr, mais je ne le leur révélai pas.

Luc-Henri et moi achetâmes un bel habit, un chapeau, des souliers et des bas fins et, ainsi vêtus, nous prîmes place dans la voiture que Jean Bart avait louée avec cocher et laquais. Trois de ses meilleurs officiers nous accompagnèrent.

En quatre jours, nous arrivâmes à Versailles. À l'approche du château, la foule devenait plus dense et notre cocher, peu habitué à de tels embarras sur la chaussée, eut du mal à se frayer un chemin parmi les coches, les carrosses, les litières, les charrettes chargées de foin, de bois, de barils, de sacs. Nous trouvâmes avec difficulté à nous loger dans une auberge dont le propriétaire nous expliqua :

— Le roi revient d'un séjour à Fontainebleau et les courtisans qui n'ont pas pu faire leur cour pendant son absence se ruent à présent à Versailles.

— Voilà de bien étranges mœurs, remarqua Jean Bart, qui poussent les courtisans aux pieds de Sa Majesté alors qu'ils n'ont rien fait de remarquable pour se faire remarquer.

Quant à moi, l'émotion m'étreignait d'être si proche de Saint-Cyr. Que j'aurais eu de plaisir à revoir toutes mes amies ! C'était impossible. On n'entrait pas à Saint-Cyr comme dans un moulin, sauf si l'on était de sang royal. De plus, mes habits masculins auraient été une insulte dans cette maison tout entière dédiée aux demoiselles.

Le lendemain, nous nous apprêtâmes avec soin pour rencontrer le roi. Jean Bart était particulièrement nerveux :

— C'est que je ne suis pas à mon aise parmi ces gens de cour. Ils n'apprécient que le beau langage et je ne suis pas bon parleur. Lorsque le roi m'a fait l'honneur de me nommer chef d'escadre voici trois ans, il m'a demandé de lui expliquer comment j'étais sorti de Dunkerque alors que l'escadre anglaise barrait la rade. Je n'ai pas su lui en faire le récit, mais je lui en ai fait la démonstration. Comme les courtisans s'étaient massés devant le roi, bouchant l'horizon, je me suis rué sur eux, les bousculant à coups de coude, et j'ai lancé : « Comme cela, sire ! »

— Une démonstration vaut largement un discours, lui répondis-je.

— Je le crois, car le roi s'est amusé de ma franchise. Hélas, les sots m'ont traité de rustre. Je ne voudrais pas, cette fois encore, être la proie des méchants. La cour est un lieu qui ne me convient pas et je préfère essuyer une bataille ou une tempête que d'avoir à déambuler dans les allées de Versailles.

C'était tout à fait incongru de voir ce corsaire, terreur de ses adversaires sur la mer, trembler à l'idée d'affronter des gentilshommes en bas de soie.

— Allons, nous dit-il dans un profond soupir. Il ne faut point faire attendre le roi.

Nous le suivîmes.

Il fut introduit dans la chambre à coucher du roi par la porte du salon de l'Œil-de-bœuf et, par faveur extraordinaire, Luc-Henri et moi fûmes autorisés à l'accompagner. Je ne m'y attendais pas. Quelle honte si une maladresse faisait découvrir que j'étais une femme déguisée en homme ! L'angoisse s'empara de moi. Pourtant, je n'aurais cédé ma place pour rien au monde. J'avais l'immense honneur de pénétrer dans la chambre du roi. Mon cœur battait à se rompre. Tandis que j'avançais derrière Jean Bart et d'autres hauts personnages, je jetai un regard sur l'imposant lit royal aux rideaux fermés et au baldaquin surmonté de touffes de plumes blanches. Soudain, je le vis : le roi. Il était debout, vêtu d'un habit couleur tabac et portait, en sautoir, le grand cordon du Saint-Esprit. Un chapeau noir lui couvrait la tête et ses mains étaient gantées de blanc. Derrière lui, le ministre de la Marine, plusieurs officiers et de grands seigneurs assistaient à la cérémonie. Il me parut plus grand, plus majestueux et beaucoup plus impressionnant que lors de ses visites à Saint-Cyr.

Jean Bart s'agenouilla sur le parquet devant le monarque et prêta serment de vivre et de mourir dans la religion catholique, de demeurer fidèle à son roi, de lui obéir et de défendre son honneur et sa couronne envers et contre tous.

Le roi tira alors son épée du fourreau dans un geste noble et fier et toucha chaque épaule du corsaire, après quoi il lui accrocha la croix sur la poitrine.

Jean Bart se releva.

Personne ne rit. Alors, encouragé par l'honneur qui lui était fait, il se permit de dire :

— Votre Majesté, voici le sieur Henri de Pusay qui a vaillamment participé à la bataille en protégeant mon vaisseau des tirs ennemis pendant que j'assurais l'abordage du *Prince de Frise* et voici son cousin Luc-Henri de Pusay blessé tandis qu'il arrachait le pavillon hollandais au sommet du navire amiral.

— Pusay, murmura le roi. Ce nom ne m'est pas inconnu... Votre famille n'a-t-elle point servi dans la marine ?

— Si, Votre Majesté, répondis-je d'une voix que l'émotion faisait trembler. Mon père Henri de Pusay a été blessé à la Hougue et il ne se remet pas de n'avoir point apporté la victoire à la France.

Le roi fronça imperceptiblement les sourcils. Je m'en voulus de lui avoir rappelé cette défaite.

— Eh bien, nous considérons que vous avez vengé son honneur bafoué. Je vous nomme tous les deux lieutenants de vaisseau dans la marine royale avec une gratification de mille livres.

J'ignorais comment exprimer ma gratitude. Je claquai les talons et j'inclinai la tête. Luc-Henri fit de même.

Le roi quitta la pièce et nous nous inclinâmes plus profondément.

Le grand chambellan nous fit sortir à notre tour et nous nous retrouvâmes dans le jardin inondé de soleil.

— Je me permets de vous féliciter à mon tour pour cette promotion largement méritée, dis-je à Jean Bart.

— Je vous retourne le compliment. Être lieutenant de vaisseau à votre âge est un privilège rare.

— Nous vous le devons, monsieur, assura Luc-Henri.

— Non point, c'est à votre vaillance que vous le devez.

CHAPITRE

# 26

Jean Bart ne souhaita pas s'attarder dans les jardins.

— Je n'ai aucun ragoût [1] pour marcher dans ces lieux plantés d'arbres et de fleurs et la perspective de croiser tous ces gens m'affole.

Il fit un large geste du bras en désignant la foule éparpillée dans le parc, puis il plaisanta :

— Mais allez-y, vous êtes jeunes et il y a certainement quelques beautés qui ne demandent qu'à être effarouchées par des histoires de corsaires !

J'avoue que le souvenir de ma venue à Versailles pour répéter *Esther* m'encouragea à faire quelques pas dans le jardin.

1. Goût.

Soudain, mon regard fut attiré par une dame vêtue d'une somptueuse jupe de moire bleue brodée de motifs argentés. Sa cape de soie ivoire retenue aux épaules par des broches de saphir balayait le sol. Une ombrelle en dentelle cachait à peine une chevelure blonde savamment bouclée et poudrée. Elle avançait dans ma direction, la main posée sur le poing d'un gentilhomme.

Son visage ne m'était pas inconnu, et pourtant je ne connaissais personne à la cour. Lorsque nous nous croisâmes, je la reconnus et je lançai :

— Louise !

Elle s'arrêta. Je vis dans son regard de l'étonnement et un froncement de ses sourcils me prouva qu'elle faisait un effort pour se souvenir de moi.

À cet instant, je me rappelai que j'étais vêtue en homme et le rouge de la honte me monta aux joues.

— Connaissez-vous ce gentilhomme ? lui demanda son compagnon sur un ton que la jalousie rendait peu amène.

— Heu... il ne me semble pas... pourtant, j'ai l'impression que...

J'eus pitié de son trouble et je l'aidai :

— C'est que j'ai une sœur, Henriette de Pusay, qui a été élevée dans la Maison Royale de Saint-Cyr et...

— Henriette ! Comment va-t-elle ? s'exclama aussitôt Louise.

À mon tour, je bredouillai :

— Bien, je... enfin...

Luc-Henri me tira de ce mauvais pas :

— Je me présente, je suis Luc-Henri de Pusay, son cousin. Nous sommes corsaires au service du roi et du capitaine Jean Bart qui vient de recevoir des mains de Sa Majesté la croix de chevalier de Saint-Louis.

Le gentilhomme qui accompagnait Louise inclina légèrement la tête devant nous et se présenta à son tour :

— Je suis Bertrand de Prez, chevalier et seigneur de Montfort. Je suis promis à demoiselle Louise de Maisonblanche [1].

Durant cette conversation, Louise me dévisageait. Je ne savais si, par des mimiques, je devais lui indiquer qui j'étais vraiment, au risque de l'inquiéter, ou s'il était préférable de rester de marbre. Mais la revoir après toutes ces années était si merveilleux qu'il me parut impossible de ne point lui parler.

Brusquement, des éclats de voix retentirent dans un bosquet proche. Deux gentilshommes s'invectivaient vertement et le bruit métallique de deux épées qui s'entrechoquaient interrompit notre conversation.

1. Voir *Le Secret de Louise.*

— Seigneur, mais l'on se bat à deux pas d'ici ! s'insurgea Luc-Henri fort à propos. Allons voir, monsieur.

Sans passer pour un poltron, il était impossible à Bertrand de Prez de refuser.

— Louise, je vous laisse quelques minutes sous la garde du frère de votre amie Henriette.

— Vous pouvez aller sans crainte, monsieur, je veillerai sur votre promise, lui répondis-je.

Dès qu'ils eurent disparu derrière le bosquet, je dis à voix basse :

— Louise, je n'ai point de sœur du nom de Henriette. Je suis Henriette et c'est avec moi que vous étiez à Saint-Cyr.

— Ah, j'en étais certaine. Henriette nous a toujours affirmé qu'elle n'avait point de frère, ce qui faisait le malheur de son père. Mais pourquoi ce déguisement ?

— Ce n'en est point un, mon amie. Je suis devenue corsaire pour rendre l'honneur à mon père qui, justement, n'avait point de fils.

— Y êtes-vous parvenue ?

— À l'instant même. Le roi vient de me nommer lieutenant de vaisseau et de m'octroyer une pension.

— Je vous félicite. Et qu'en est-il de ce cousin qui vous accompagne ?

— C'est un valeureux corsaire.

— Je n'en doute pas... mais ce n'était pas l'objet de ma question. Y a-t-il quelque chose entre vous ?

— Un tendre sentiment nous unit. Nous le cachons de notre mieux, car, pour l'heure, seule la passion de la mer doit nous animer. Mais parlez-moi de vous. Avez-vous découvert le secret de vos origines ?

— Si fait. Je suis la fille du roi et ma mère est Mlle Desœillets qui a été sa maîtresse et que l'on a accusée d'avoir été mêlée à l'affaire des poisons. Le roi a la grande bonté de ne pas tenir compte des erreurs de ma mère et il me reçoit à la cour.

— J'en suis heureuse pour vous.

— Bertrand et moi, nous allons bientôt nous marier. Mon bonheur serait complet si, à cette occasion, je pouvais revoir toutes mes compagnes de Saint-Cyr.

— Oh, quelle excellente idée ! J'aurais moi aussi beaucoup de plaisir à savoir ce que sont devenues Charlotte, Hortense, Isabeau, Éléonore et toutes les autres.

— Alors rendez-vous dans quelques mois... mais, ajouta-t-elle, inquiète, pourrez-vous venir sans... sans vos habits d'homme ?

J'éclatai de rire devant son trouble.

— Je garderai ces hardes pour la mer. Sur terre, je redeviendrai Henriette de Pusay. Et c'est au bras de Luc-Henri que j'assisterai à la cérémonie de votre mariage.

Retrouvez la suite des aventures des Colombes dans :
*Gertrude et le Nouveau Monde*

## *L'auteur*

En un quart de siècle, Anne-Marie Desplat-Duc a publié une quarantaine de romans dont beaucoup ont été primés. Rien de surprenant quand on sait que sa passion est l'écriture et qu'elle y consacre tout son temps. Comme elle aime les enfants, c'est pour eux qu'elle écrit des histoires qui finissent bien. Vous pouvez toutes les découvrir sur son site Internet :
**http://a.desplatduc.free.fr**

**CHEZ FLAMMARION, ELLE A DÉJÀ PUBLIÉ :**

- **Dans la collection « Premiers romans »**
  **Les héros du 18 :**

1. *Un mystérieux incendiaire*
2. *Prisonniers des flammes*
3. *Déluge sur la ville*
4. *Les chiens en mission*

- **Dans la collection « Castor Poche » :**

- *Félix Têtedeveau*
- *Une formule magicatastrophique*

- **Dans la collection « Flammarion Jeunesse » :**

- *Un héros pas comme les autres*
- *Ton amie pour la vie*

Découvrez le site des Colombes du Roi-Soleil :
**http://www.lescolombesduroisoleil.com/**

## L'illustratrice

Aline Bureau est née à Orléans en 1971. Elle a étudié le graphisme à l'école Estienne puis la gravure aux Arts décoratifs à Paris. C'est dans l'illustration qu'elle s'est lancée en travaillant d'abord pour la presse et la publicité, puis pour l'édition jeunesse.

# Les Colombes du Roi-Soleil

**Des jeunes filles rêvent d'aventure et de succès. Élevées aux portes de Versailles, les Colombes du Roi-Soleil volent vers leur destin...**

# Gertrude
# et le nouveau monde

Pour sauver son amitié avec Anne, Gertrude a commis une lourde faute et purge sa peine en prison. Mais une opportunité s'offre à elle : partir pour le Nouveau Monde. Là-bas, elle espère retrouver enfin la liberté et le bonheur. Pourtant, elle ne se doute pas des obstacles qui jalonneront sa nouvelle existence...

# Olympe comédienne

À Saint Cyr, Olympe vit repliée sur elle. Un drame dans son enfance l'a traumatisée, elle a perdu la mémoire. Mais lorsqu'elle découvre le théatre, sa vie change. Elle intègre alors une troupe et fait la connaissance d'un jeune comédien. Tout semble aller pour le mieux. Et un jour, elle se souvient. Sera-t-elle assez forte pour affronter son passé et connaître l'amour ?

# ADÉLAÏDE
## ET LE PRINCE NOIR

Aniabia, prince d'Assinie, vit au cœur de l'Afrique. Adélaïde, jeune normande, est pensionnaire à Saint-Cyr. Ils n'ont aucune chance de se rencontrer... mais la providence s'en mêle et une série d'évènements s'apprête à bouleverser leur vie. Adélaïde et Aniaba devront chacun faire preuve de patience et de courage...

*Des coffrets cadeau sont disponibles :*

TOMES
1, 2 ET 3

TOMES
4, 5 ET 6

TOMES 1, 2 ET 3
FORMAT POCHES

Imprimé à Barcelone par:

Mise en page par Meta-systems
59100 Roubaix

Dépôt légal : janvier 2012
N° d'édition : L.01EJEN000752.N001
Loi n° 49-956 du 16 juillet 1949
sur les publications destinées à la jeunesse